Copyright © 2022 Editora Garnier.

Todos os direitos reservados pela Editora Garnier.
Nenhuma parte desta publicação poderá ser reproduzida
sem a autorização prévia da Editora.

GENEALOGIA
DA MORAL

Diretor editorial
Henrique Teles

Produção editorial
Eliana S. Nogueira

Arte gráfica
Joyce Teófilo Oliveira

Revisão
Jane Rajão

Tradução
Elizete Maria Gomes

EDITORA GARNIER
Belo Horizonte
Rua São Geraldo, 67 – Floresta – Cep.: 30150-070 – Tel.: (31) 3212-4600
e-mail: vilaricaeditora@uol.com.br

Friedrich Nietzsche

GENEALOGIA
DA MORAL

GARNIER
desde 1844

Dados Internacionais de Catalogação na Publicação (CIP) de acordo com ISBD

N677g Friedrich Nietzsche

    A Genealogia da Moral / Friedrich Nietzsche. - Belo Horizonte - MG :
    Garnier, 2022.
    159 p. ; 14m x 21cm.
    Inclui índice.

    ISBN: 978-85-7175-209-2

        1. Filosofia alemã. 2. Friedrich Nietzsche. I. Título.

2022-123

CDD 193
CDU 1 (43)

Índice para catálogo sistemático:
1. Filosofia alemã 193
2. Filosofia alemã 1(43)

SUMÁRIO

Primeira Sessão
"Bom e Mau", "Bom e Ruim" 9

Segunda Sessão
"Culpa", "Má Consciência" e Coisas do Gênero 43

Terceira Sessão
Qual é o Significado de Ideais Ascéticos? 89

SUMÁRIO

PRIMEIRA SESSÃO

"BOM E MAU", "BOM E RUIM".

1.

Os psicólogos ingleses, que até o presente são os únicos, que devem ser agradecidos por qualquer esforço para chegar até uma história da origem da moral — estes homens, digo eu, oferecem-nos nas suas próprias personalidades. Não têm sequer, se quero ser muito franco, um problema insignificante — eles têm mesmo, na sua capacidade de viver enigmas, uma vantagem sobre os seus li-vros — eles próprios são interessantes! Estes psicólogos in-gleses — o que é que eles realmente querem dizer? Nós os encontramos sempre, voluntária ou involuntariamente, na mesma tarefa de empurrar para a fachada *a partie honteuse* (o lado vergonhoso) do nosso mundo interior, e procurando o elemento eficiente, e o princípio decisivo nesse preciso lugar onde o intelectual respeito próprio da raça seria o mais relutante em encontrá-lo (por exemplo, na *vis inércia* do hábito, ou no esquecimento, ou num cego e fortuito mecanismo e associação de ideias, ou em algum fator que seja puramente passivo, reflexo, molecular, ou fundamentalmente estúpido) — qual é o verdadeiro poder motivador que impele sempre estes psicólogos a seguir precisamente esta direção? Será um instinto para a má gestão humana algo sinistro, vulgar e maligno, ou talvez incompreensível até para si mesmo? ou talvez um toque de pessimismo ou ciúme, a desconfiança dos idealistas desiludidos que se tornaram sombrios, envenenado e amargo? ou uma pequena inimizade subconsciente e rancor contra o cristianismo (e Platão), que concebivelmente nunca ultrapassou o limiar de consciência? ou apenas um gosto vicioso para os elementos da vida que são bizarros, dolorosamente paradoxal, místico, e ilógico? ou, como alternativa final, uma pitada de cada um destes motivos — um pouco de vulgaridade, um pouco de obscuridade, um pouco de anti-Cristianismo, um pouco de anseio pelo picante necessário?

Mas dizem-me que se trata simplesmente de um caso de sapos velhos, frígidos e enfadonhos, rastejando e saltando à volta dos homens e dentro dos homens, como se estivessem completamente em casa, como se estivessem num pântano.

Oponho-me a esta afirmação, não, não acredito, e se, na impossibilidade de conhecimento, é permitido desejar, assim como eu desejo do meu coração que apenas a metáfora inversa deve aplicar-se, e que estes analistas com os seus microscópios psicológicos devem ser, no fundo, corajosos, orgulhosos, e animais magnânimos que saibam como fazer uma rédea solta tanto no seu coração como na sua dor, e treinaram-se especificamente para sacrificar o que é desejável ao que é verdade, qualquer verdade de fato, mesmo a simples, amarga, feia, repulsiva, verdade não cristã, e imoral — pois há verdade nessa descrição.

Toda a honra, portanto, aos espíritos nobres que dominam estes historiadores da moralidade. Mas é certamente uma pena que lhes falte o sentimento, eles próprios, bastante desertados por todos os espíritos benéficos da história. Todo o comboio do seu pensamento corre, como sempre foi o caminho dos filósofos antiquados, em linhas completamente sem história. Não há dúvida sobre este ponto. A inépcia crua da sua genealogia da moral é imediatamente aparente quando se coloca a questão de determinar a origem da ideia e julgamento do "bem". "O homem tinha originalmente", assim fala o seu decreto, "louvado e chamados atos altruístas" "bons" do ponto de vista daqueles em quem eles foram conferidos, ou seja, aqueles a quem foram úteis, posteriormente, a origem deste elogio foi esquecida, e atos altruístas, simplesmente porque, por pura questão de hábito, foram elogiados como bons, vieram também a ser sentidos como bons — como continham em si mesmas alguma "bondade intrínseca". A coisa é óbvia: esta derivação inicial contém todas as características típicas e peculiares dos psicólogos ingleses — temos "utilidade", "esquecimento", "hábito", e finalmente "erro", todo o conjunto formando a base de um sistema de valores, em que o homem superior até agora se orgulhava como se fosse uma espécie de privilégio do homem em geral. Este orgulho deve ser reduzido, este sistema de valores deve perder os seus valores: isso é alcançado?

Agora o primeiro argumento que me chega à mão é que o verdadeiro herdeiro nato do conceito "bom" é procurado e localizado no lugar errado. O julgamento "bom" não teve origem entre aqueles para quem o bem era mostrado. Muito mais tem sido o próprio bem, ou seja, o aristocrático, os poderosos, os de alta estação, os de alta mente, que sentiram que eles próprios eram bons, e que as suas ações eram boas, ou seja, que a primeira ordem, em contradição com todos os baixos, os de mente baixa, os vulgares e o plebeu. Foi a partir destes fatos de distância que primeiro arremessaram o direito de criar valores para seu próprio lucro, e de cunhar os nomes de tais valores, o que tinham eles a ver com utilidade? O ponto de vista da utilidade é tão estranho, por mais inaplicável que possa ser, quando temos de lidar com isso, vulcânico, uma efervescência de valores supremos, criando e demarcando à medida que fazer uma hierarquia dentro de si mesmos, é neste momento que se chega a uma apreciação do contraste com aquela temperatura tépida, que é o pressuposto sobre o qual cada combinação de sabedoria mundana e cada o cálculo do expediente prático é sempre baseado — e não para um ocasional, não por um caso excepcional, mas cronicamente. O pathos da nobreza e distância, como já disse, a consciência e o orgulho crônico, despótico e instinto fundamental de uma raça superior dominante que se associa com uma raça mais mesquinha, uma "Estipe baixa", esta é a origem da antítese do bem e mau. (O direito dos mestres de dar nomes vai tão longe que é admissível olhar sobre a própria língua como a expressão do poder dos mestres: dizem "isto é que, e aquilo," selam finalmente cada objeto e cada evento com um som, e assim ao mesmo tempo tomam posse dele). É devido a esta origem que a palavra "bom" está longe de ter qualquer ligação necessária com atos altruístas, de acordo com a crença supersticiosa destes filósofos morais. Pelo contrário, é por ocasião da decadência dos valores aristocráticos, que a antítese entre "egoísta" e "altruísta" pressiona cada vez mais a consciência humana. — É, para usar a minha própria linguagem, o instinto de rebanho que encontra nesta antítese uma expressão de muitas maneiras. E mesmo assim é preciso um tempo considerável para que este instinto se torne suficientemente dominante, para que a valorização seja inextricavelmente dependente desta antítese (como é o caso na Europa contemporânea); pois hoje em dia esse preconceito é predominante, o qual, agindo mesmo agora com toda a intensidade de uma obsessão e doença cerebral, defende que "moral", "altruísta" e "desinteresse" são conceitos de igual valor.

3.

Em segundo lugar, para além do fato desta hipótese quanto à gênese do valor "bom" não poder ser historicamente sustentada, sofre de uma contradição psicológica inerente. A utilidade da conduta altruísta foi presumivelmente a origem do seu louvor, e esta origem tornou-se esquecida: — Mas de que forma concebível é possível este esquecimento? Será que a utilidade de tal conduta cessou, por acaso, num dado momento? O contrário é o caso. Esta utilidade tem sido sempre experimentada todos os dias, e é consequentemente uma característica que obtém uma ênfase nova e regular a cada dia que passa, daí decorre que, longe de desaparecer da consciência, longe mesmo de ser esquecida, tem necessariamente de se tornar impressa na consciência com uma distinção cada vez maior. Quão mais lógica é essa teoria contrária (não é a mais verdadeira para isso) que é representada, por exemplo, por Herbert Spencer, que coloca o conceito "bom" como essencialmente semelhante ao conceito "útil", "propositado", de modo que nos juízos "bom" e "mau" a humanidade está simplesmente a resumir e a investir com uma sanção as suas experiências imperdoáveis e inesquecíveis relativas ao "útil-propositado" e ao "malicioso-não-propositivo". De acordo com esta teoria, "bom" é o atributo daquilo que anteriormente se mostrou útil, por isso pode afirmar ser considerado "valioso no mais alto grau", "valioso em si mesmo". Este método de explicação é também, como já disse, errado, mas de qualquer modo a própria explicação é coerente, e psicologicamente defensável.

4.

A indicação do caminho que primeiro me colocou no rumo certo foi esta pergunta — qual é o verdadeiro significado etimológico dos vários símbolos para a ideia "boa" que foram cunhados nas várias línguas? Descobri então que todos eles levam de novo à mesma evolução da mesma ideia — que em todo o lado "aristocrata", "nobre" (no sentido social), é a ideia de raiz, a partir da qual se desenvolveu necessariamente "bom" no sentido de "com alma aristocrática", "nobre", no sentido de "com alma de alto calibre", "com alma privilegiada" — um desenvolvimento que invariavelmente corre em paralelo com aquela outra evolução pela qual "vulgar", "plebeu", "baixo", são feitos para finalmente se transformarem em "mau". A prova mais eloquente desta última é a própria palavra alemã **"schlecht"**: esta palavra é idêntica a **"schlicht"** — (comparar **"schlechtweg"** e **"schlechterdings"**) — que, originalmente e até agora sem qualquer insinuação sinistra, designava simplesmente o homem plebeu, em contraste com o homem aristocrático. É no período suficientemente tardio da Guerra dos Trinta Anos que este sentido se torna alterado para o sentido agora atual. Do ponto de vista da Genealogia da Moral, esta descoberta parece ser substancial: o seu atraso deve ser atribuído à influência retardadora exercida no mundo moderno pelo preconceito democrático na esfera de todas as questões de origem. Isto estende-se, como será brevemente demonstrado, mesmo à província de ciências naturais e fisiologia, que, *prima facie*, é o mais objetivo. A extensão dos males causados por este preconceito (uma vez livre de todos os tresmalhos exceto os da sua própria malícia), particularmente à Ética e à História, é demonstrada pelo notório caso de Buckle. Foi em Buckle que o plebeuanismo do espírito moderno, de origem inglesa, voltou a irromper do seu solo maligno com toda a violência de um vulcão viscoso, e com aquela eloquência salgada, galopante e vulgar com que até hoje todos os vulcões têm falado.

5.

Em relação ao nosso problema, que pode ser justamente chamado de um problema íntimo, e que opta por apelar apenas a um número limitado de ouvidos, não é de pequeno interesse verificar que naquelas palavras e raízes que denotam "bom" vislumbramos desse traço arquetípico, em cuja força os aristocratas se sentem seres de uma ordem superior à dos seus semelhantes. De fato, eles chamam-se a si próprios talvez nos casos mais frequentes simplesmente depois da sua superioridade no poder (por exemplo, "os poderosos", "os senhores", "os comandantes"), ou depois do sinal mais óbvio da sua superioridade, como por exemplo "os ricos", "os possuidores" (que é o significado de arya; e as línguas iraniana e eslava correspondem). Mas eles também se autodenominam após alguma peculiaridade característica. Este é o caso que agora nos preocupa. Eles chamam-se, por exemplo, "a verdade": isto é feito pela primeira vez pela nobreza grega, cujo porta-voz se encontra em Theognis, a poetisa Megariana. A palavra estilo cunhada para o efeito, significa etimologicamente "aquele que é", que tem realidade, que é real, que é verdadeiro, depois com uma reviravolta subjetiva, o "verdadeiro": nesta fase da evolução da ideia, torna-se o lema e o grito de partido da nobreza, completando a transição para o significado "nobre", de modo a colocar fora do pálido o homem mentiroso, vulgar, como Theognis o concebe e retrata — até finalmente a palavra após a decadência da nobreza é deixada para delinear a nobreza psicológica, e torna-se como que madura e amadurecida. Na palavra "mau" como em "covarde" (o plebeu em contraste com o bom) é realçada a covardia. Isto dá talvez uma ideia em que linhas a origem etimológica do muito ambíguo "bom" deve ser investigada. No latim *malus* (que coloco lado a lado com negro) o homem vulgar pode ser distinguido como o de cor escura, e sobretudo como o de cabelo preto ("hic niger est"), como os habitantes pré-arianos do solo italiano, cuja compleição formou a característica mais clara de distinção das loiras dominantes, nomeadamente, a raça conquistadora ariana: — de qualquer modo, o gaélico deu-me o análogo exato (por exemplo, no nome Fin-Gal), a palavra distintiva da nobreza, finalmente-boa, nobre, limpa, mas originalmente o homem de cabelo louro, em contraste com os aborígenes de cabelo negro escuro. Os celtas, se me é permitido fazer uma afirmação parental, foram ao longo de uma raça loira; e é errado ligar, como Virchow ainda liga, os vestígios de uma população essencialmente de cabelos escuros que devem ser vistos nos mapas etnográficos mais elaborados da Alemanha com qualquer ascendência celta ou com qualquer mistura de sangue celta. Neste contexto, é antes a população pré-ária da Alemanha que se eleva até estes distritos. (O mesmo se aplica substancialmente a toda a Europa, na realidade, o sujeito raça voltou finalmente a obter a vantagem, na compleição e na brevidade do crânio, e talvez nas qualidades intelectuais e sociais. Quem pode garantir que a democracia moderna, a anarquia ainda mais moderna, e mesmo essa tendência para a "Comuna", a forma mais primitiva de sociedade, que é agora comum a todos os socialistas na Europa, não significa na sua verdadeira essência uma monstruosa reversão — e que a raça conquistadora e mestre — a raça ariana, não está também a tornar-se fisiologicamente inferior?) Creio poder explicar o bonus latino como o "guerreiro": a minha hipótese é que estou certo em derivar o bónus de um duonus mais antigo (compare bellum = duellum = duen-lum, no qual a palavra duonus me parece estar contida). Bonus em conformidade como o homem da discórdia, da variância, "entzweiung" (duo), como o guerreiro: vê-se o que na Roma antiga "o bem" significava para um homem. Não deve a nossa palavra alemã atual significar "o homem de raça divina"? e ser idêntica ao nome nacional (originalmente o nome dos nobres) dos Godos?

Os fundamentos para esta suposição não pertencem a este trabalho.

6.

Acima de tudo, não há exceção (embora haja oportunidades para exceções) a esta regra, que a ideia de superioridade política se resolve sempre na ideia de superioridade psicológica, nos casos em que a casta mais elevada é ao mesmo tempo a casta sacerdotal, e de acordo com as suas características gerais confere a si própria o privilégio de um título que alude especificamente à sua função sacerdotal. É nestes casos, por exemplo, que "limpos" e "impuros" confrontam-se pela primeira vez como distintivos de classe; aqui novamente desenvolve-se um "bom" e um "mau", num sentido que deixou de ser meramente social.

Além disso, deve-se ter o cuidado de não levar estas ideias de "limpo" e "impuro" demasiado a sério, demasiado amplo, ou demasiado simbólico. Todas as ideias do homem antigo têm, pelo contrário, de ser compreendidas nas suas fases iniciais, num sentido que é, numa medida quase inconcebível, rude, grosseiro, físico, e estreito, e, sobretudo, essencialmente não simbólico. O "homem limpo" é originalmente apenas um homem que se lava a si próprio, que se abstém de certos alimentos que são propícios a doenças de pele, que não dorme com as mu-lheres impuras das classes mais baixas, que tem um horror de sangue — não mais, não muito mais! Por outro lado, a própria natureza de uma aristocracia sacerdotal mostra as razões pelas quais, numa conjuntura tão precoce, deveria resultar uma afiação e intensificação realmente perigosa de valores opostos. É, de fato, através destes valores opostos que os abismos se fundem no plano social, que um verdadeiro Aquiles do pensamento livre estremeceria para atravessar. Existe desde o início uma certa mancha de doença em tais aristocracias sacerdotais, e nos hábitos que prevalecem em tais sociedades — os hábitos que, avessos à ação, constituem um composto de introspecção e emocionalismo explosivo, em resultado do qual parece haver uma morbilidade introspectiva e neurastênica, que adere quase inevitavelmente a todos os sacerdotes em todos os momentos. No entanto, em relação ao remédio que eles próprios inventaram para esta doença — o filósofo não tem outra opção senão afirmar, que provou nos seus efeitos cem vezes mais perigoso do que a doença, da qual deveria ter sido o libertador. A própria humanidade ainda está doente dos efeitos da ingenuidade desta cura sacerdotal. Tomemos, por exemplo, certos tipos de dieta (abstenção de carne), jejum, continência sexual, fuga para o deserto (uma espécie de isolamento Weir-Mitchell, embora sem esse sistema de alimentação excessiva e engorda, que é o antídoto mais eficaz para toda a histeria do ideal ascético), deve-se considerar também toda a metafísica dos padres, com a sua guerra aos sentidos, a sua inervação, o seu corte de cabelo, considerar o seu auto hipnotismo sobre o faquir e os princípios Brahman (usa Brahman como disco de vidro e obsessão), e esse clímax que só muito bem podemos compreender de uma saciedade invulgar com a sua panaceia do nada (ou Deus: — a exigência de uma união mística com Deus é a exigência do budista do nada, Nirvana — e nada mais!). Nas sociedades sacerdotais, cada elemento está numa escala mais perigosa, não apenas curas e remédios, mas também orgulho, vingança, astúcia, exaltação, amor, ambição, virtude, morbidez: — Além disso, pode afirmar-se com justiça que está no solo deste essencialmente forma perigosa da sociedade humana, a forma sacerdotal, que o homem se torna realmente pela primeira vez um animal interessante, que é nesta forma que a alma do homem atingiu, num sentido mais elevado, profundidades e se tornou má — e estas são as duas formas fundamentais da superioridade que até ao homem atua exibiu sobre todos os outros animais.

7.

O leitor já terá suposto com que facilidade o modo de valorização sacerdotal pode ramificar-se do modo aristocrático cavaleiro, e depois evoluir para a própria antítese deste último, é dado um impulso especial a esta oposição, por cada ocasião em que as castas dos sacerdotes e guerreiros se confrontam com ciúmes mútuos e não conseguem chegar a acordo sobre o prêmio. Os "valores" aristocráticos e cavalheiros baseiam-se num culto cuidadoso do físico, numa floração, rica, e até mesmo numa efervescente saúde, que vai consideravelmente além do que é necessário para manter a vida, na guerra, na aventura, na perseguição, na dança, no torneio, em tudo, de fato, que está contido numa ação forte, livre e alegre. O modo de valorização sacerdotal — aristocrático é — temos visto baseado noutras hipóteses: já é suficientemente mau para esta classe quando é uma questão de guerra! Mas os padres são, como é notório, os piores inimigos — por quê? Porque eles são os mais fracos. A sua fraqueza faz com que o seu ódio se expanda para uma forma monstruosa e sinistra, uma forma que é mais astuta e mais venenosa. Os verdadeiros grandes ódios da história do mundo sempre foram os padres, que são também os que mais odeiam — em comparação com a esperteza da vingança sacerdotal, cada outro pedaço de esperteza é praticamente insignificante. A história humana seria demasiada fátua para qualquer coisa se não fosse a esperteza importada para ela pelos fracos — o exemplo mais importante. Todos os esforços do mundo contra os "aristocratas", os "poderosos", os "senhores", os "detentores do poder", são negligenciáveis em comparação com o que foi realizado contra essas classes pelos judeus — os judeus, aquela nação sacerdotal que acabou por perceber que o único método de obter satisfação sobre os seus inimigos e tiranos era através de uma radical transvaloração de valores, que era ao mesmo tempo um ato mais inteligente de vingança. No entanto, o método era apenas apropriado para uma nação de sacerdotes, para uma nação da mais ciosamente cultivada vingança sacerdotal. Foram os judeus que, em oposição à equação aristocrática (bom = aristocrático = belo = feliz = amado pelos deuses), ousaram com uma lógica aterradora sugerir a equação contrária, e de fato manter com os dentes do ódio mais profundo (o ódio da fraqueza) esta equação contrária, a saber, "os miseráveis são só os bons, os pobres, os fracos, os humildes, são só os bons", os que sofrem, os necessitados, os doentes, os odiosos, são os únicos que são piedosos, os únicos que são abençoados, pois só eles são a salvação — mas vós, por outro lado, aristocratas, homens de poder, sois para toda a eternidade o mal, o horrível, o cobiçoso, o insaciável, o ímpio, eternamente também vós sereis os sem bênção, os amaldiçoados, os amaldiçoados! "Sabemos quem foi que colheu a herança desta transvaloração judaica. No contexto da monstruosa e fatídica iniciativa que os judeus exibiram em relação a esta mais fundamental de todas as declarações de guerra, lembro-me da passagem que chegou a minha caneta noutra ocasião (Beyond Good and

Evil, Aph. 195) — que foi, de fato, com os judeus que a revolta dos escravos começou na esfera da moral, aquela revolta que tem por trás uma história de dois milênios, e que nos dias de hoje só saiu da nossa vista, porque alcançou a vitória.

8.

Mas não compreende isto? Não tem olhos para uma força que levou dois mil anos a alcançar a vitória?- Não há nada de maravilhoso nisto: todos os processos morosos são difíceis de ver e de realizar. Mas foi isto que aconteceu: do tronco daquela árvore da vingança e do ódio, o ódio judeu, aquele ódio mais profundo e sublime, que cria ideais e muda velhos valores para novas criações, como nunca houve na terra, — aqui cresceu um fenômeno igualmente incomparável, um novo amor, o mais profundo e sublime de todos os tipos de amor, de que outro tronco poderia ter crescido? Mas cuidado em supor que este amor tenha crescido de forma ascendente, como de qualquer forma uma verdadeira negação dessa sede de vingança, como uma antítese ao ódio judeu! Não, o contrário é a verdade! Este amor cresceu a partir desse ódio, como a sua coroa, como a sua coroa triunfante, circulando cada vez mais largamente no meio da claridade e plenitude do sol, e perseguindo no próprio reino da luz e da altura o seu objetivo de ódio, a sua vitória, o seu despojo, a sua estratégia, com a mesma intensidade com que as raízes dessa árvore do ódio se afundaram em tudo o que era profundo e maléfico, com estabilidade e desejo crescentes. Este Jesus de Nazaré, o evangelho encarnado do amor, este "Redentor" trazendo salvação e vitória aos pobres, aos doentes, aos pecadores — não foi ele realmente tentação na sua forma mais sinistra e irresistível, tentação de tomar o caminho tortuoso para esses mesmos valores e ideais judaicos? Não terá Israel realmente obtido o objetivo final da sua sublime vingança, pelos caminhos tortuosos deste "Redentor", por tudo o que ele possa fazer como adversário de Israel e destruidor de Israel? Não será devido à magia negra de uma política realmente grande de vingança, de uma vingança que vê e escava, tanto agindo como calculando com lentidão, que o próprio Israel deve repudiar perante todo o mundo o verdadeiro instrumento da sua própria vingança e pregá-lo à cruz, para que todo o mundo — isto é, todos os inimigos de Israel — possam mordiscar sem suspeitar deste mesmo isco? Poderia, além disso, qualquer mente humana com todo o seu elaborado engenho inventar uma isca que fosse mais verdadeiramente perigosa? Qualquer coisa que fosse equivalente no poder da sua influência sedutora, intoxicante, contaminadora e corruptora a esse símbolo da cruz sagrada, a esse terrível paradoxo de um "deus na cruz", a esse mistério do impensável, supremo e absoluto horror da autocrucifixão de um deus para a salvação do homem? É pelo menos certo que o *sub hoc* signo Israel, com a sua vingança e transvaloração de todos os valores, triunfou sempre até hoje sobre todos os outros ideais, sobre todos os ideais mais aristocráticos.

9.

"Mas por que é que se fala de ideais mais nobres? Submetamo-nos aos fatos. Que o povo triunfou, ou os escravos, ou a população, ou a manada, ou qualquer que seja o nome que lhes queira dar, se isto aconteceu através dos judeus, que assim seja! Nesse caso, nunca nenhuma nação teve uma missão maior na história do mundo. Os 'senhores' foram eliminados, a moralidade do homem vulgar triunfou. Este triunfo também pode ser chamado de "sangue-poisoning" (fundiu-se mutuamente as raças) — não o contesto, mas não há dúvida de que esta intoxicação foi bem-sucedida. A 'redenção' da raça humana (ou seja, dos mestres) está a progredir, tudo está obviamente a tornar-se judaizado, ou cristianizado, ou vulgarizado (o que há nas palavras?). Parece impossível parar o curso deste envenenamento através de toda a política corporal da humanidade — mas o seu tempo e ritmo podem, a partir do tempo presente, ser mais lentos, mais delicados, mais silenciosos, mais discretos — o tempo é suficiente. Tendo em conta este contexto, a Igreja tem hoje em dia algum propósito necessário? tem, de fato, o direito de viver? Ou poderá o homem continuar sem ele? "Quæritur". Parece que vai buscar e retardar esta tendência, em vez de a acelerar. Bem, mesmo isso pode ser a sua utilidade. A Igreja é certamente uma instituição grosseira, que é repugnante a uma inteligência com qualquer pretensão de delicadeza, a um gosto realmente moderno. Não deveria, de qualquer forma, aprender a ser um pouco mais sutil? Hoje em dia, aliena-a, mais do que alicia. Qual de nós seria, sem dúvida, um pensador livre se não existisse Igreja? É a Igreja que nos repele, não é o seu veneno — parte da Igreja que gostamos do veneno". Este é o epílogo de um livre-pensador do meu discurso, de um animal honrado (como ele deu provas abundantes), e de um democrata, ele tinha-me ouvido até então, e não podia suportar o meu silêncio, mas para mim, de fato, no que diz respeito a este tópico, há muito sobre o que ficar em silêncio.

10.

A revolta dos escravos na moral começa no próprio princípio do ressentimento tornar-se criativo e dar origem a valores — ressentimento experimentado por criaturas que, privadas como são da devida saída de ação, são forçadas a encontrar a sua compensação numa vingança imaginária. Enquanto toda a moralidade aristocrática nasce de uma afirmação triunfante das suas próprias exigências, a moralidade escrava diz "não" desde o início ao que está "fora de si mesma", "diferente de si mesma", e "não de si mesma": e este "não" é o seu ato criativo. Esta inversão do ponto de vista da valorização — esta inevitável gravitação ao objetivo em vez de voltar ao subjetivo — é típica do "ressentimento": a moralidade escravagista requer como condição da sua existência um mundo externo e objetivo, para empregar terminologia fisiológica, requer estímulos objetivos para ser capaz de ação — a sua ação é fundamentalmente uma reação. O contrário acontece quando chegamos ao sistema de valores do aristocrata: ele age e cresce espontaneamente, procura apenas a sua antítese para pronunciar um "sim" mais grato e exultante para si próprio, a sua concepção negativa, "baixa", "vulgar", "má", é apenas uma folha pálida e tardia em comparação com a sua concepção positiva e fundamental (saturada como está com a vida e a paixão), de "nós aristocratas, nós bons, nós belos, nós felizes".

Quando a moral aristocrática se desvia e comete sacrilégio sobre a realidade, esta limita-se àquela esfera particular com a qual não está suficientemente familiarizada, uma esfera, de fato, a partir do conhecimento real de que se defende desdenhosamente. Julga erradamente, em alguns casos, a esfera que despreza, a esfera do homem comum vulgar e das pessoas baixas: por outro lado, deve ser dada a devida importância à consideração de que, em qualquer caso, o humor do desprezo, da supremacia, mesmo supondo que retrata falsamente o objeto do seu desprezo, estará sempre muito longe daquele grau de falsidade que caracteriza sempre os ataques — na efígie, evidentemente — do ódio vingativo e da vingança dos fracos em investidas sobre os seus inimigos. De fato, há no desprezo demasiado forte uma mistura de indiferença, de casualidade, de tédio, de impaciência, mesmo de exultação pessoal, para que seja capaz de distorcer a sua vítima numa verdadeira caricatura ou numa verdadeira monstruosidade. Deve ser novamente dada atenção às nuances quase benevolentes que, por exemplo, a nobreza grega importa em todas as palavras pelas quais distingue o povo comum de si mesmo, notar como continuamente uma espécie de piedade, cuidado e consideração transmite o seu sabor melado, até que finalmente quase todas as palavras que são aplicadas ao homem vulgar sobrevivem finalmente como expressões para "infeliz", "digno de piedade" (comparar δειλο, δείλαιος, πονηρός, μοχθηρός), os dois últimos nomes denotam realmente o homem vulgar como escravo do trabalho e animal de carga)- e como, pelo contrário, "mau", "baixo", "infeliz" nunca deixaram de tocar no ouvido grego com um tom em que "infeliz" é a nota predominante: esta é uma herança da velha e nobre moralidade aristocrática, que permanece fiel a si mesma, mesmo em desprezo (que os filólogos se lembrem do sentido em que ιζυρός, νολβος, τλήμων, δυστυχεν, ξυμφορά costumava ser empregado). Os "bem-nascidos" sentiam-se simplesmente "felizes"; não tinham de fabricar artificialmente a sua felicidade através do olhar para os seus inimigos, ou em casos em que falassem e se deitassem na felicidade (como é costume com todos os homens ressentidos), e do mesmo modo, homens completos como eles eram, exuberantes com força, e consequentemente necessariamente enérgicos, eram demasiado sábios para dissociar a felicidade da ação — a atividade torna-se nas suas mentes necessariamente contada como felicidade (isto é, a etimologia de boa prática) — tudo em nítido contraste com a "felicidade" dos fracos e dos oprimidos, com o seu veneno apodrecedor e maldade, entre os quais a felicidade aparece essencialmente como um narcótico, um mortal, uma quietude, uma paz, um "sábado", uma inervação da mente e um relaxamento do membros, em suma, um fenômeno puramente passivo. Enquanto o homem aristocrático viveu em confiança e abertura consigo mesmo (corajoso "nobre-nascido", sublinha a nuance "sincero", e talvez também "ingênuo"), o homem ressentido, por outro lado, não é nem sincero nem ingênuo, nem honesto e franco consigo mesmo. A sua alma contorce-se; a sua mente adora recantos ocultos, caminhos tortuosos e retrocessos, tudo o que é secreto lhe apela como o seu mundo, a sua segurança, o seu bálsamo, ele é passado mestre em silêncio, em não esquecer, em espera, em desvalorização provisória de si mesmo. Uma raça de homens tão ressentidos acabará por se revelar mais prudente do que qualquer raça aristocrática, honrará a prudência numa escala bastante distinta, como, de fato, uma condição primordial de existência, enquanto a prudência entre os homens aristocráticos está apta a ser tingida com um delicado sabor de luxo e requinte, por isso, entre eles não desempenha nada como um papel tão integral como a completa certeza da função dos instintos inconscientes governantes, ou como uma certa falta de prudência, como uma veemente e valente acusação, seja contra o perigo ou contra o inimigo, ou como aquelas extasiantes explosões de raiva, amor, reverência, gratidão, pelas quais em todos os momentos as almas nobres se reconheceram mutuamente. Quando o ressentimento do homem aristocrático se manifesta, cumpre-se e esgota-se numa reação imediata, e consequentemente não instila nenhum veneno: por outro lado, nunca se manifesta de todo em inúmeros casos, quando no caso dos fracos e fracos seria inevitável. Uma incapacidade de levar a sério durante algum tempo os seus inimigos, os seus desastres, os seus erros — é o sinal da plena natureza forte que possui uma superfluidade de força plástica moldadora, que cura completamente e produz esquecimento: um bom exemplo disto no mundo moderno é Mirabeau, que não tinha memória de quaisquer insultos e mesquinhezes que lhe eram praticados, e que só era incapaz de perdoar por se ter esquecido. Um homem assim sacode de fato com um encolher de ombros muitos vermes que se teriam enterrado noutro; é apenas em personagens como estes que vemos a possibilidade (supondo, claro, que existe tal possibilidade no mundo) do verdadeiro "amor dos inimigos". Que respeito pelos seus inimigos se encontra, sem dúvida, num homem aristocrático — e tal reverência já é uma ponte para o amor! Ele insiste em ter o seu inimigo a si próprio como a sua distinção. Não tolera outro inimigo senão um homem em cujo caráter não há nada a desprezar e muito a honrar! Por outro lado, imagine o "inimigo" como o homem ressentido o concebe — e é exatamente aqui que vemos a sua obra, a sua criatividade; ele concebeu "o inimigo mau", o "maligno", e de fato essa é a ideia raiz da qual ele evolui agora como uma figura contrastante e correspondente, um "bom", ele próprio — o seu eu!

11.

O método deste homem é bastante contrário ao do homem aristocrático, que concebe a ideia raiz "bom" espontânea e imediatamente, ou seja, de si próprio, e a partir desse material cria então para si próprio um conceito de "mau"! Este "mau" de origem aristocrática e aquele "ruim" do caldeirão do ódio insatisfeito — o primeiro uma imitação, um "extra", uma nuance adicional, o segundo, por outro lado, o original, o início, o ato essencial na concepção de uma moral-escravagista — estas duas palavras "mau" e "ruim", como marcam uma grande diferença, apesar de terem um contrário idêntico na ideia "bom". Mas a ideia "bom" não é a mesma: muito pelo contrário, que se faça a pergunta: "Quem é realmente mau de acordo com o significado da moralidade do ressentimento? Em toda a severidade, que seja respondida assim: apenas o homem bom da outra moralidade, apenas o aristocrata, o poderoso, aquele que governa, mas que é distorcido pelo olho venenoso do ressentimento, para uma nova cor, um novo significado, uma nova aparência. Este ponto em particular seria o último a negar: o homem que aprendeu a conhecer aqueles "bons" apenas como inimigos, aprendeu ao mesmo tempo a não os conhecer apenas como "maus inimigos" e os mesmos homens que interpartes foram mantidos tão rigorosamente nos limites através da convenção, respeito, costume e gratidão, embora muito mais através da vigilância mútua e do ciúme interpartes, estes homens que nas suas relações uns com os outros encontram tantas novas formas de manifestar consideração, autocontrole, delicadeza, lealdade, orgulho e amizade, estes homens estão em referência ao que está fora do seu círculo (onde o elemento estrangeiro, um país estrangeiro, começa), não muito melhor do que animais de presa, que foram soltos. Usufruem aí de liberdade de todo o controle social, sentem que no deserto podem dar vazão impunemente àquela tensão que é produzida pelo cerco e prisão na paz da sociedade, voltam à inocência da besta — a consciência de rapina, como monstros jubilosos, que talvez venham de um terrível ataque de assassinato, fogo posto, violação e tortura, com bravata e equanimidade moral, como se apenas uma partida de estudante selvagem tivesse sido pregada, perfeitamente convencidos de que os poetas têm agora um tema amplo para cantar e celebrar. É impossível não reco-nhecer no âmago de todas estas raças aristocráticas a besta da presa, o magnífico bruto louro, avidamente apressado por des-pojos e vitória. Este núcleo oculto precisava de uma saída de vez em quando, a besta deve soltar-se novamente, deve regressar ao deserto — a nobreza romana, árabe, alemã e japonesa, os heróis homéricos, os vikings escandinavos, são todos iguais nesta necessidade. Foram as raças aristocráticas que deixaram a ideia "bárbara" em todos os caminhos em que marcharam; não, uma consciência deste mesmo bárbaro, e mesmo um orgulho nele, manifesta-se mesmo na sua mais alta civilização (por exemplo, quando Péricles diz aos seus atenienses naquela célebre oração fúnebre: "A nossa audácia forçou um caminho sobre todas as terras e mares, criando por toda a parte memoriais imperecíveis de si mesmo para o bem e para o mal"). Esta audácia de raças aristocráticas, loucas, absurdas e espasmódicas como pode ser a sua expressão; a natureza incalculável e fantástica dos seus empreendimentos, Péricles coloca em especial relevo e glória o arrebatamento dos atenienses, a sua indiferença e desprezo pela segurança, corpo, vida, e conforto, a sua alegria terrível e intenso deleite em toda a destruição, em todos os êxtases da vitória e da crueldade, — todos estes traços se cristalizam, para aqueles que sofreram assim na imagem do "bárbaro", do "inimigo mau", talvez do "gótico" e do "vândalo". A profunda e gelada desconfiança que o alemão provoca, assim que chega ao poder, — mesmo no momento presente, — é sempre uma consequência daquele horror inextinguível com que durante séculos inteiros a Europa tem encarado a ira da besta loira Teuton (embora entre os velhos alemães e nós próprios exista apenas uma relação psicológica, quanto mais física). Uma vez chamei a atenção para o embaraço de Hesíodo, quando ele concebeu a série de idades sociais, e tentei exprimi-las em ouro, prata e bronze. Ele só pôde livrar-se da contradição, com a qual foi confrontado, pelo mundo homérico, uma idade magnífica de fato, mas ao mesmo tempo tão horrível e tão violenta, ao fazer duas idades de uma, que doravante colocou uma atrás da outra — primeiro, a idade dos heróis e semideuses, pois esse mundo tinha permanecido nas memórias das famílias aristocráticas, que nele encontraram os seus próprios antepassados; em segundo lugar, a idade do bronze, como aquela idade correspondente apareceu aos descendentes dos oprimidos, mimados, maltratados, exilados, escravizados; nomeadamente, como uma idade do bronze, como já disse, dura, fria, terrível, sem sentimentos e sem consciência, esmagando tudo, e besuntando tudo com sangue. Admitindo a verdade da teoria agora acreditada como verdadeira, que a própria essência de toda a civilização é treinar para fora do homem, a besta da presa, um animal domesticado e civilizado, um animal domesticado, segue-se indubitavelmente que devemos considerar como verdadeiros instrumentos da civilização todos aqueles instintos de reação e ressentimento, com a ajuda dos quais as raças aristocráticas, juntamente com os seus ideais, foram finalmente degradadas e dominadas, embora isso ainda não tenha chegado a ser sinônimo de dizer que os portadores desses instrumentos também representavam a civilização. É antes o contrário que não é apenas provável — não, é palpável hoje em dia, estes portadores de instintos vingativos que têm de ser engarrafados, estes descendentes de toda a escravatura europeia e não europeia, especialmente da população pré-ariana — estas pessoas, digo eu, representam o declínio da humanidade! Estes "instrumentos da civilização" são uma vergonha para a humanidade, e constituem na realidade mais um argumento contra a civilização, mais uma razão pela qual a civilização deve ser suspeita. Pode justificar-se perfeitamente que se tenha sempre medo da besta loura que está no centro de todas as raças aristocráticas, e que se esteja de guarda: mas quem não preferiria cem vezes ter medo, quando se admira ao mesmo tempo, do que estar imune ao medo, à custa de estar perpetuamente obcecado com o espetáculo abominável do distorcido, do anão, do atrofiado, do envenenado? E não é esse o nosso destino? O que produz hoje a nossa repulsa pelo "homem"? — Porque nós sofremos de "homem", não há dúvida sobre isso. Não é medo; é antes que não temos mais nada a temer dos homens; é que a minhoca "homem" está em o primeiro plano e o pulula; é que o "homem domesticado", a miserável criatura medíocre e pouco edificante, aprendeu a considerar-se um objetivo e um pináculo, um significado interior, um princípio histórico, um "homem superior"; sim, é que ele tem um certo direito a considerar-se a si próprio, na medida em que sente que, em contraste com esse excesso de deformidade, doença, exaustão e eficácia cujo odor começa a poluir a Europa atual, ele de qualquer forma alcançou um relativo sucesso, ele de qualquer forma ainda diz "sim" à vida.

12.

Não posso abster-me, neste momento, de dar um suspiro e uma última esperança. O que é precisamente o que considero intolerável? Aquilo de que não consigo livrar-me sozinho, o que me faz asfixiar e desmaiar? Ar ruim! ar ruim! Que alguma coisa mal começada se aproxima de mim, que devo inalar o odor das entranhas de uma alma mal começada! — Que, à excepção disso, o que é que não se pode suportar no caminho da necessidade, privação, mau tempo, doença, labuta, solidão? De fato, consegue-se ultrapassar tudo, nascendo como se fosse para uma existência enterrada e lutadora, volta-se sempre de novo à luz, vive-se sempre de novo a hora dourada da vitória — e depois, ergue-se como se tivesse nascido, inquebrável, tenso, pronto para algo mais difícil, para algo mais distante, como um arco esticado, mas o esticador por cada estirpe. Mas de vez em quando concedei-me — presumindo que "para além do bem e do mal" há deusas que podem conceder — um vislumbre, concedei-me apenas um vislumbre, de algo perfeito, plenamente realizado, feliz, poderoso, triunfante, de algo que ainda dá motivo para medo! Um vislumbre de um homem que justifique a existência do homem, um vislumbre de uma felicidade humana encarnada que se realiza e redime, em nome da qual se pode agarrar à crença no homem! Pois a posição é esta: no anão e no nivelamento do homem europeu espreita o nosso maior perigo, pois é esta perspectiva que cansamos — não vemos hoje nada que deseje ser maior, supomos que o processo está sempre ao contrário, ainda ao contrário em direção a algo mais atenuado, mais inofensivo, mais astuto, mais confortável, mais medíocre, mais indiferente, mais chinês, mais cristão, não há dúvida, cresce sempre "melhor" — o destino da Europa está mesmo nisto — que ao perder o medo do homem, perdemos também a esperança no homem, sim, a vontade de ser homem. A visão do homem agora cansa-se. — O que é o Niilismo atual se não é isso? — Estamos cansados do homem.

13.

Mas voltemos a ele, o problema de outra origem do bom, do bom como o homem ressentido pensou que ultrapassou — exige a sua solução. Não é surpreendente que os cordeiros guardem rancor contra as grandes aves de rapina, mas isso não é motivo para culpar as grandes aves de rapina por terem levado os cordeirinhos. E quando os cordeiros dizem entre si: "Estas aves de rapina são más, e aquele que está tão longe de ser uma ave de rapina, que é antes o seu oposto, um cordeiro, — não é bom?" então não há nada a que se cavilhar na criação deste ideal, embora também possa ser que as aves de rapina a considerem um pouco desdenhosa, e por acaso digam a si próprias: "Não guardamos rancor contra eles, estes bons cordeiros, até gostamos deles: nada é mais saboroso do que um cordeiro tenro". Exigir força que não se exprima como força, que não seja um desejo de vencer, um desejo de derrota, um desejo de se tornar mestre, uma sede de inimigos e antagonismos e triunfos, é tão absurdo como exigir da fraqueza que se exprima como força. Um quantum de força é apenas um quantum de movimento, de vontade, de ação — não é mais do que aqueles fenômenos de movimento, de vontade, de ação, e só pode aparecer de outra forma nos erros enganadores da linguagem (e nas falácias fundamentais da razão que se tornaram petrificadas nela), que compreende, e compreende mal, tudo trabalhando como condicionado por um trabalhador, por um "sujeito". E tal como as pessoas separam o relâmpago do seu clarão, e interpretam este último como uma coisa feita, como o trabalho de um sujeito que se chama relâmpago, também a moralidade popular separa a força da expressão de força, como se por detrás do homem forte existisse algum substrato neutro indiferente, que gozava de um capricho e opção sobre se deveria ou não expressar força. Mas não existe tal substrato, não existe "ser" por detrás de fazer, trabalhar, tornar-se; "o fazedor" é um mero apanágio da ação. A ação é tudo. De fato, as pessoas duplicam o fazer, quando fazem o relâmpago, que é um "fazer por fazer": fazem o mesmo fenômeno primeiro uma causa, e depois, em segundo lugar, o efeito dessa causa. Os cientistas não conseguem melhorar a situação quando dizem: "A força move-se, força causa", e assim por diante. Toda a nossa ciência ainda é, apesar de toda a sua frieza, de toda a sua liberdade da paixão, uma duplicação dos truques da linguagem, e nunca conseguiu livrar-se dessa mudança supersticiosa "o sujeito" (o átomo, para dar outro exemplo, é uma tal mudança, tal como a "Coisa em si" kantiana). Que maravilha, se as paixões de vingança e ódio reprimidas e furtivas explorarem para seu próprio benefício esta crença, e de fato não acreditarem com um entusiasmo mais firme do que este — "que o forte tem a opção de ser fraco, e a ave de rapina de ser um cordeiro". Assim, ganham para si próprios o direito de atribuir às aves de rapina a responsabilidade de serem aves de rapina: quando os oprimidos, oprimidos e dominados dizem a si próprios com a astúcia vingativa da fraqueza: "Sejamos diferentes do mal, ou seja, bons! e bom é todo aquele que não oprime, que não faz mal a ninguém, que não ataca, que não paga, que entrega a vingança a Deus, que se mantém, como nós, escondido, que sai do caminho do mal, e exige, em suma, pouco da vida, como nós, o paciente, o manso, o justo," — ainda que tudo isto, na sua interpretação fria e sem preconceitos, não signifique nada mais do que "de uma vez por todas, os fracos são fracos. É bom não fazer nada pelo que não somos suficientemente fortes", mas este estado de coisas sombrio, esta prudência da mais baixa ordem, que até os insetos possuem (que, num grande perigo, desmaiam para enganar a morte, para evitar fazer "demasiado"), tem, graças à contrafação e autoengano da fraqueza, vir disfarçado na pompa de uma virtude ascética, muda e expectante, como se a própria fraqueza do fraco — que é, sem dúvida, o seu ser, o seu funcionamento, toda a sua inevitável realidade inseparável — fosse um resultado voluntário, algo desejado, escolhido, um ato, um ato de mérito. Este tipo de homem encontra a crença num "sujeito" neutro, de livre escolha, necessário a partir de um instinto de autopreservação, de autoafirmação, em que cada mentira é desmaiada para se santificar. O sujeito (ou, para usar linguagem popular, a alma) talvez tenha provado ser o melhor dogma do mundo simplesmente porque tornou possível à horda de indivíduos mortais, fracos e oprimidos de toda a espécie, aquele espécime mais sublime de autoengano, a interpretação da fraqueza como liberdade, de ser isto, ou ser aquilo, como mérito.

14.

Será que alguém vai olhar um pouco para o mistério de como os ideais são fabricados neste mundo? Quem tem a coragem de o fazer? Venha! Aqui temos uma vista aberta para estes ateliês sombrios. Espere só um momento, caro Sr. Inquisitivo e Tolo, o seu olho deve primeiro acostumar-se a esta falsa mudança de luz — sim! Já chega! Agora fale! O que está a acontecer lá embaixo? Fale que o que vê, homem da curiosidade mais perigosa — por ago-ra sou eu o ouvinte. "Não vejo nada, ouço mais". É um sussurro cauteloso, rancoroso, gentil e resmungão em todos os cantos e recantos. Parece-me que estão a mentir; uma suavidade açucarada adere a cada som. A fraqueza é transformada em mérito, não há dúvida — é exatamente como se diz". Mais! "E a impotência que não exige, está voltada para a 'bondade', a mansidão, a submissão àqueles que se odeia, a obediência (nomeadamente, obediência a um dos que dizem que ele ordenou esta submissão — chamam-lhe Deus). O carácter inofensivo dos fracos, a própria covardia em que ele é rico, a sua posição à porta, a sua necessidade forçada de esperar, ganham aqui belos nomes, tais como "paciência", que também se chama "virtude"; não poder vingar-se, chama-se não querer vingar-se, talvez até perdão (pois eles não sabem o que fazem — só nós sabemos o que fazem). Falam também do 'amor dos seus inimigos' e suam por isso".

Além disso! "São miseráveis, não há dúvida, todos estes sussurros e contrafatores nos cantos, embora tentem aquecer-se agachando-se uns aos outros, mas dizem-me que a sua miséria é um favor e uma distinção que lhes é dada por Deus, tal como se bate nos cães de que se gosta mais, que talvez esta miséria seja também uma preparação, uma provação, um treino; que talvez seja ainda mais algo que um dia será compensado e pago com um tremendo interesse em ouro, não em felicidade. A isto chamam "bem-aventurança".

Além disso! "Estão agora a dar-me a entender, que não só são me-lhores homens do que os poderosos, os senhores da terra, cuja saliva têm de lamber (não por medo, não de todo, por medo! Mas porque Deus ordena que se honre toda a autoridade) — não só são homens melhores, mas que também têm um 'tempo melhor', de qualquer modo, um dia terão um 'tempo melhor'. Mas basta! Já chega! Já não consigo aguentar mais. Mau ar! Ar ruim! Estes ateliês onde os ideais são manufaturados — cheiram a mentira mais grosseira". Não. Só um minuto! Não está a dizer nada sobre as obras-primas destes virtuosos da magia negra, que podem produzir brancura, leite e inocência a partir de qualquer negro de que goste: não reparou no requinte que o seu chefe de cozinha consegue, o seu mais audaz, sutil, engenhoso e mentiroso artista? Cuide-se! Estas bestas da adega, cheias de vingança e ódio — o que é que elas fazem, sem dúvida, com a sua vingança e ódio? Ouvem estas palavras? Suspeitarias, se confiasses apenas nas suas palavras, que estás entre homens de ressentimento e nada mais? "Compreendo, furo novamente os meus ouvidos (ah! ah! ah! ah! e seguro o meu nariz). Agora ouço pela primeira vez o que eles têm dito tantas vezes: 'Somos bons, somos os justos' — a que eles exigem que não chamem vingança mas 'o triunfo da justiça'; o que eles odeiam não é o seu inimigo, não, odeiam 'injustiça', 'impiedade'; o que eles acreditam e esperam não é a esperança de vingança, a intoxicação da doce vingança (— "mais doce do que mel", chamava-lhe Homero?), mas a vitória de Deus, do Deus justo sobre os 'ímpios'; o que lhes resta para amar neste mundo não são os seus irmãos no ódio, mas os seus 'irmãos no amor', como eles dizem, todos os bons e justos na terra". E como nomear aquilo que lhes serve de consolo contra todos os problemas da vida — a sua fantasmagoria da sua futura bem-aventurança antecipada? "Como? Será que ouço bem? Chamam-lhe 'o último julgamento', o advento do seu reino, 'o reino de Deus' — mas, entretanto, vivem 'na fé', 'no amor', 'na esperança'". Já chega! Já chega!

15.

A fé em quê? No amor por quê? Na esperança de quê? Estes fracos! — eles também, sem dúvida, desejam ser fortes algum tempo, não há dúvida, algum tempo o seu reino também deve vir — "o reino de Deus" é o seu nome, como já foi mencionado: eles são tão mansos em tudo! No entanto, para experimentar esse reino é necessário viver muito tempo, viver para além da morte, — sim, a vida eterna é necessária para que se possa compensar para sempre essa vida terrena "na fé", "no amor", "na esperança". Compensar para quê? Compensar com o quê? Dante, como me parece, cometeu um erro crasso quando, com uma ingenuidade imponente, colocou aquela inscrição sobre o portão do seu inferno, "Eu também fiz amor eterno": de qualquer modo, a seguinte inscrição teria um direito muito melhor de estar sobre o portão do Paraíso Cristão e a sua "eterna bem-aventurança" — "também a mim criou o amor eterno" —, concedido, é claro, para que uma verdade possa, com razão, estar sobre o portão de uma mentira! Pois qual é a bem-aventurança desse Paraíso? Possivelmente poderíamos rapidamente supô-la; mas é melhor que seja explicitamente atestada por uma autoridade que em tais matérias não seja menosprezada, Tomás de Aquino, o grande mestre e santo. "Beati in regno celesti" diz ele, tão suavemente como um cordeiro, "videbunt pœnas damnatorum, ut beatitudo illis magis complaceat". Ou se quisermos ouvir um tom mais forte, uma palavra da boca de um pai triunfante da Igreja, que avisou os seus discípulos contra os êxtases cruéis dos espetáculos públicos — mas por quê? A fé oferece-nos muito mais, — diz ele, de Spectac., c. 29 ss., — algo muito mais forte; graças à redenção, alegrias de outro tipo estão à nossa disposição, em vez de atletas, temos os nossos mártires, desejamos sangue, bem, temos o sangue de Cristo — mas o que então nos espera no dia do seu regresso, do seu triunfo. E então ele prossegue, faz este visionário extasiado: *"at enim supersunt alia spectacula, ille últimas e perpetuus judicii dies, ille nationibus insperatus, ille derisus, cum tanta sæculi vetustas et tot ejus nativitates uno igne haurientur. Quæ tunc spectaculi latitudo! Quid admirerer! quid rideam! Ubigaudeam! Ubi exultem, spectans tot et tantos reges, qui in ceulum recepti nuntiabantur, cum ipso Jove et ipsis suis testibus in imis tenebris congemescentes! Item præsides"* (os governadores provinciais) *"persecutores dominici nominis sævioribus quam ipsi flammis sævierunt insultantibus contra Christianos liquescentes! Quos præterea sapientes illos philosophos coram discipulis suis una conflagrantibus erubescentes, quibus nihil ad deum pertinere suadebant, quibus animas aut nullas aut non in pristina corpora redituras affirmabant! Etiam poetas non ad Rhadamanti nec ad Minois, sed ad inopinati Christi tribunal palpitantes! Tunc magis tragœdi audiendi, magis scilicet vocales"* (com tons mais altos e gritos mais violentos) *"in sua propria calamitate; tunc histriones cognoscendi, solutiores multo per ignem"; tunc spectandus auriga in flammea rota totus rubens, tunc xystici contemplandi non in gymnasiis, sed in igne jaculati, nisi quod ne tunc quidem illos velim vivos, ut qui malim ad e os potius conspectum insatiabilem conferre, qui in dominum scevierunt. Hic est ille, dicam fabri aut quæstuariæ filius"* (como é demonstrado pelo conjunto do seguinte, e em particular por esta descrição bem conhecida da mãe de Jesus do Talmud, Tertuliano refere-se doravante aos judeus), *"sabbati destructor, Samarites et dæmonium habens. Hic est quem a Juda redemisti, hic est ille arundine et colaphis diverberatus, sputamentis de decoratus, felle et acete potatus. Hic est, quem clam discentes subripuerunt, ut resurrexisse dicatur vel hortulanus detraxit, ne lactucæ suæ frequentia commeantium laderentur. Ut talia species, ut talibus exultes, quis tibi prætor aut consul aut sacerdos de sua liberalitate prastabit? Et tamen hæc hæc jam habemus quodammodo per fidem spiritu imaginante repræsentata. Ceterum qualia illa sunt, quæ nec oculus vidit nec auris audivit nec in cor hominis ascenderunt?"* (I Cor. ii. 9.) *"Credo circo et utraque cavea"* (primeira e quarta fila, ou, segundo outros, a fase cómica e trágica) *"et omni studio gratiora". Per fidem:* assim está escrito.

16.

Cheguemos a uma conclusão. Os dois valores opostos, "bons e maus", "bons e ruins", travaram uma luta terrível, mil anos no mundo, e embora indubitavelmente o segundo valor esteja há muito tempo na preponderância, não há lugares onde a sorte da luta ainda seja indecisa. Quase se pode dizer que, entretanto, a luta atinge um nível cada vez mais elevado, e que entretanto se tornou cada vez mais intensa, e sempre mais e mais psicológica, de modo que hoje em dia talvez não exista uma marca mais decisiva da natureza superior, da natureza mais psicológica, do que ser nesse sentido autocontraditória, e ser de fato ainda um campo de batalha para esses dois opostos. O símbolo desta luta, escrito num escrito que permaneceu digno de ser lido ao longo da história até ao presente, chama-se "Roma contra Judæa, Judæa contra Roma". Até agora, não houve acontecimento maior do que essa luta, a colocação dessa questão, esse antagonismo mortífero. Roma encontrou no judeu a encarnação do antinatural, como se fosse a sua monstruosidade diametralmente oposta, e em Roma o judeu foi considerado condenado por ódio a toda a raça humana: e com razão, na medida em que é correto ligar o bem-estar e o futuro da raça humana ao domínio incondicional dos valores aristocráticos, dos valores romanos. Em contrapartida, o que é que os judeus sentiram contra Roma? Podemos supô-lo a partir de mil sintomas, mas é suficiente levar a mente de volta ao Apocalipse Joanino, aquele mais obsceno de todos os surtos escritos, que tem vingança na sua consciência. (Também se deve avaliar pelo seu pleno valor a profunda lógica do instinto cristão, quando sobre este mesmo livro de ódio escreveu o nome do Discípulo do Amor, aquele mesmo discípulo a quem atribuiu esse apaixonado e extasiado Evangelho — aqui se esconde uma porção de verdade, por muito que tenha sido necessário forjar literariamente para este fim). Os Romanos foram os fortes e aristocráticos, uma nação mais forte e mais aristocrática nunca existiu no mundo, nunca foi sequer sonhada, cada relíquia delas, cada inscrição enraíza, dado que se pode adivinhar o que é que se escreve a inscrição. Os judeus, pelo contrário, eram aquela nação sacerdotal de ressentimento por excelência, possuída por um gênio único para a moral popular: basta comparar com os judeus as nações com dons análogos, tais como os chineses ou os alemães, para depois perceber o que é de primeira categoria, e o que é de quinta categoria.

Qual deles foi provisoriamente vitorioso, Roma ou Judeia? mas não há sombra de dúvida; basta considerar a quem em Roma, hoje em dia, se curva, como se estivesse diante da quintessência de todos os valores mais elevados — e não apenas em Roma, mas quase em metade do mundo, em todos os lugares onde o homem foi domado ou está prestes a ser domado — a três judeus, como sabemos, e uma judia (a Jesus de Nazaré, a Pedro, o pescador, a Paulo, o fazedor de dez, e à mãe do referido Jesus, chamada Maria). Isto é muito notável: Roma é, sem dúvida, derrotada. Em todo o caso, teve lugar no Renascimento um renascimento brilhantemente sinistro do ideal clássico, da valorização aristocrática de todas as coisas: A própria Roma, como um homem acordando de um transe, despertou sob o peso da nova Roma judaica que tinha sido construída sobre ela, a qual apresentou o aparecimento de uma sinagoga e foi chamada de "Igreja": mas imediatamente Judia triunfou novamente, graças a esse movimento de vingança fundamentalmente popular (alemão e inglês), que se chama a

Reforma, e tendo também em conta o seu inevitável corolário, a restauração da Igreja — a restauração também da antiga paz do cemitério da Roma clássica. Judeia provou mais uma vez ter vencido o ideal clássico da Revolução Francesa, e num sentido ainda mais crucial e mais profundo: a última aristocracia política que existiu na Europa, a dos séculos XVII e XVIII francesa, desfez-se em pedaços sob os instintos de uma população ressentida — nunca o mundo tinha ouvido um maior júbilo, um entusiasmo mais tumultuoso: de fato, no meio dela ocorreu o fenômeno mais monstruoso e inesperado, o próprio ideal antigo varreu perante os olhos e a consciência da humanidade com toda a sua vida e com esplendor inédito, e em oposição ao ressentimento da guerra mentirosa — grito de guerra da prerrogativa do mais, em oposição à vontade de humildade, humilhação e igualização, à vontade de retrocesso e crepúsculo da humanidade, ressoou mais uma vez, mais forte, mais simples, mais penetrante do que nunca, a terrível e encantadora contra guerra da prerrogativa dos poucos! Como um sinal final para outras formas, apareceu Napoleão, o anacronismo mais único e violento que alguma vez existiu, e nele o problema encarnado do ideal aristocrático em si mesmo -considerar bem o problema: Napoleão, essa síntese de Monstro e Super-Homem.

17.

Será que acabou? Foi a maior de todas as antíteses de ideais assim relegada "ad acta" para sempre? Ou apenas adiada, adiada por muito tempo? Será que não pode haver, em algum momento ou outro, uma inflamação muito mais terrível, muito mais cuidadosamente preparada do velho conflito? Mais! Não se deve desejar que a consumação com todas as forças? — será que se vai exigir a si próprio? Aquele que neste momento começa, como os meus leitores, a refletir, a pensar mais, terá dificuldade em chegar rapidamente a uma conclusão, centros suficientes para eu próprio chegar a uma conclusão, partindo do princípio de que, há já algum tempo, o que quero dizer foi suficientemente claro, o que quero dizer exatamente com esse perigoso lema que está inscrito no corpo do meu último livro: Para além do Bem e do Mal — em todo o caso, não é o mesmo que "Para além do Bem e do Mal". Nota. — Aproveito a oportunidade oferecida por este tratado para expressar, aberta e formalmente, um desejo que até agora só foi expresso em conversas ocasionais com estudiosos, nomeadamente, que alguma Faculdade de Filosofia deveria, através de uma série de ensaios premiados, ganhar a glória de ter promovido o estudo mais aprofundado da história da moral — talvez este livro possa servir para dar um impulso forçado em tal direção. No que diz respeito a uma possibilidade desta personagem, a seguinte questão merece consideração. Merece tanto a atenção de filólogos e historiadores como de filósofos profissionais reais. "Que indicação da história da evolução das ideias morais é proporcionada pela filologia, e especialmente pela investigação etimológica?" Por outro lado, é evidentemente igualmente necessário induzir os fisiologistas e médicos a interessarem-se por estes problemas (do valor das avaliações que prevaleceram até hoje): neste contexto, os filósofos profissionais podem ser confiados para agirem como porta-vozes e intermediários nestes casos particulares, depois de, naturalmente, terem conseguido transformar a relação entre filosofia e fisiologia e medicina, que é originalmente de frieza e desconfiança, na mais amigável e frutuosa reciprocidade. De fato, todas as tabelas de valores, todos os "tu deves" conhecidos da história e da etnologia, precisam principalmente de uma fisiologia, pelo menos em preferência a uma psicologia, elucidação e interpretação; todas requerem igualmente uma crítica da ciência médica. A pergunta: "Qual é o valor deste ou daquele quadro de 'valores' e moralidade?" será feita a partir dos mais variados pontos de vista. Por exemplo, a questão do "valor para quê" nunca poderá ser analisada com suficiente simpatia. Que, por exemplo, que evidentemente teria valor em relação à promoção numa raça dos maiores poderes de resistência possíveis (ou em relação ao aumento da sua adaptabilidade a um clima específico, ou em relação à preservação do maior número possível) não teria nada parecido com o mesmo valor, se se tratasse de desenvolver um espécies. Na aferição de valores, o bem da maioria e o bem da minoria são pontos de vista opostos: deixamos à ingenuidade dos biólogos ingleses o fato de considerarmos o primeiro ponto de vista como intrinsecamente superior. Todas as ciências têm agora de preparar o caminho para a tarefa futura do filósofo, sendo esta tarefa entendida como significando, que ele tem de resolver o problema do valor, que tem de fixar a hierarquia de valores.

SEGUNDA SESSÃO

"CULPA", "MÁ CONSCIÊNCIA", E COISAS DO GÊNERO.

1.

A criação de um animal que pode prometer — não é este o paradoxo de uma tarefa que a natureza se impôs a si própria em relação ao homem? Não será este o próprio problema do homem? O fato de este problema ter sido em grande medida resolvido, deve parecer ainda mais fenomenal a quem pode estimar pelo seu valor total aquela força de esquecimento que funciona em oposição a ele. O esquecimento não é apenas vis inertiae, como creem os superficiais, é antes um poder de obstrução, ativo e, no sentido mais estrito da palavra, positivo — um poder responsável pelo fato de que aquilo que vivemos, experimentamos, tomamos em nós próprios, já não entra em consciência durante o processo de digestão (pode ser chamado de absorção psíquica) do que todo o processo múltiplo pelo qual a nossa nutrição física, a chamada "incorporação", é levada por diante. O fechamento temporário das portas e janelas da consciência, o alívio dos alarmas e excursões clamo-rosas, com o qual o nosso mundo subconsciente de órgãos servidores trabalha em cooperação e antagonismo mútuos. Um pouco de quietude, uma pequena tábua rasa da consciência, de modo a dar novamente lugar ao novo, e sobretudo às funções mais nobres e funcionárias, espaço para o governo, a previsão, a predeterminação (pois o nosso organismo está num modelo Hierárquico) — esta é a utilidade, como já disse,

43

do esquecimento ativo, que é uma sentinela e enfermeira de ordem psíquica, repouso, etiqueta, e isto mostra imediatamente porque é que não pode existir felicidade, alegria, esperança, orgulho, presente real, sem esquecimento. O homem em que este aparelho preventivo é danificado e descartado, deve ser comparado a um dispéptico, e é algo mais do que uma comparação — ele não pode "livrar-se" de nada. Mas este mesmo animal que considera necessário ser esquecido, no qual, de fato, o esquecimento representa uma força e uma forma de saúde robusta, criou para si próprio um poder de oposição, uma memória, com cuja ajuda o esquecimento é, em certos casos, mantido no numa saúde forte dos casos, nomeadamente, onde as promessas têm de ser feitas — de modo que não é de modo algum uma mera incapacidade passiva de se ver livre de uma vez da indigestão, não apenas a indigestão ocasionada por uma palavra outrora prometida, da qual não se pode dispor, mas uma recusa ativa de se livrar dela, uma continuação e um desejo de continuar o que uma vez foi querido, uma memória real da vontade, de modo a que entre o "eu vou" original, "eu farei", e a descarga real da vontade, o seu ato, possamos facilmente interpor um mundo de novos fenômenos estranhos, circunstâncias, verdadeiras volições, sem o estalar desta longa cadeia da vontade. Mas qual é a hipótese subjacente a tudo isto? Até que ponto, para poder regular o futuro desta forma, o homem deve ter aprendido primeiro a distinguir entre fenómenos necessários e acidentais, a pensar causalmente, a ver o distante como presente e a antecipá-lo, a fixar com certeza qual é o fim, e quais são os meios para esse fim, acima de tudo, a contar, a ter poder de cálculo — até que ponto o homem deve ter-se tornado primeiro calculável, disciplinado, necessário mesmo para si próprio e para a sua própria concepção de si próprio, que, tal como um homem que entra numa promessa, poderia garantir a si próprio como um futuro.

2.

Esta é simplesmente a longa história da origem da responsabilidade. Essa tarefa de criar um animal que possa fazer promessas, inclui, como já compreendemos, como sua condição e preliminar, a tarefa mais imediata de primeiro fazer o homem, em certa medida, necessário, uniforme, como entre os seus semelhantes, regular, e consequentemente calculável. O imenso trabalho daquilo a que chamei "moralidade do costume" (cp. Dawn of Day, Aphs. 9, 14, e 16), o trabalho real do homem sobre si mesmo durante o período mais longo da raça humana, toda a sua obra pré-histórica, encontra o seu significado, a sua grande justificação (apesar de toda a sua dureza inata, despotismo, estupidez e idiotice) neste fato: o homem, com a ajuda da moralidade dos costumes e dos coletes de cintura apertada social, foi tornado genuinamente calculável. Se, contudo, nos colocarmos no fim deste processo colossal, no ponto em que a árvore amadurece finalmente os seus frutos, quando a sociedade e a sua moralidade de costumes finalmente trazem à luz aquilo para o qual era apenas o meio, então encontramos como fruto mais maduro na sua árvore o indivíduo soberano, que se assemelha apenas a si próprio, que se desprendeu da moralidade de costumes, o indivíduo "supermoral" autônomo (pois "autônomo" e "moral" são termos mutuamente exclusivos), — em suma, o homem da vontade pessoal, longa e independente, competente para prometer, e encontramos nele uma consciência orgulhosa (vibrando em cada fibra), do que foi finalmente alcançado e vivificado nele, uma consciência genuína de poder e liberdade, um sentimento de perfeição humana em geral. E este homem que cresceu até à liberdade, que é realmente competente para prometer, este senhor do livre arbítrio, este soberano — como é possível não saber quão grande é a sua superioridade sobre tudo o que é incapaz de se vincular por promessas, ou de ser a sua própria segurança, quão grande é a confiança, o espanto, a reverência que desperta — ele "merece" os três — não saber que com este domínio sobre si próprio é necessariamente também dado o domínio sobre as circunstâncias, sobre a natureza, sobre todas as criaturas com testamentos mais curtos, personagens menos fiáveis? O homem "livre", o dono de uma longa vontade inquebrável, encontra nesta posse o seu padrão de valor: olhando de si mesmo para os ou-tros, honra ou despreza, e tão necessariamente como honra os seus pares, os fortes e os de confiança (aqueles que se podem unir por promessas), — isto é, todo aquele que promete como um soberano, com dificuldade, raramente e lentamente, que é poupado com as suas confianças mas que confere honra pelo próprio fato de confiar, que dá a sua palavra como algo em que se pode confiar, porque se conhece suficientemente forte para o manter mesmo nos dentes dos desastres, mesmo nos "dentes do destino", — assim, com igual necessidade terá o calcanhar do seu pé pronto para os idiotas magros e vazios, que prometem quando não têm nada que o fazer, e a sua vara de castigo pronta para o mentiroso, que já quebra a sua palavra no preciso momento em que ela está nos seus lábios. O conhecimento orgulhoso do extraordinário privilégio da responsabilidade, a consciência desta rara liberdade, deste poder sobre si próprio e sobre o destino, afundou-se até ao seu mais íntimo, e tornou-se um instinto, um instinto dominante — que nome lhe dará, a este instinto dominante, se precisar de ter uma palavra a seu favor? Mas não há dúvidas quanto a isso — o homem soberano chama-lhe a sua consciência.

3.

A sua consciência... — Uma pessoa aprende imediatamente que a ideia "consciência", que aqui se vê na sua manifestação suprema, suprema de fato até quase ao ponto de estranheza, já deveria ter por detrás uma longa história e evolução. A capacidade de garantir o próprio eu com todo o orgulho, e ao mesmo tempo de dizer sim ao próprio eu que é, como já foi dito, um fruto maduro, mas também um fruto tardio: — Quanto tempo deve precisar deste fruto pendurado azedo e amargo na árvore! E durante um período ainda mais longo não se vislumbrou um fruto assim para ser colhido, ninguém o tinha tomado sobre si próprio para o prometer, embora tudo na árvore estivesse pronto para ele, e tudo estivesse a amadurecer para esse mesmo consumo. "Como se deve fazer uma memória para o homem-animal? Como é que uma impressão se fixa tão profundamente sobre este entendimento efêmero, meio denso, meio tolo, sobre este esquecimento encarnado, que estará permanentemente presente"? Como se pode imaginar, este problema primitivo não foi resolvido exatamente por respostas e meios suaves, talvez não haja nada mais horrível e mais sinistro na história inicial do homem do que o seu sistema de mnemónica. "Algo se queima de modo a permanecer na sua memória: só o que nunca deixa de doer permanece na sua memória". Este é um axioma da mais antiga (infelizmente também a mais longa) psicologia do mundo. Poder-se-ia mesmo dizer que onde quer que a solenidade, a seriedade, o mistério e as cores sombrias se encontrem agora na vida dos homens e das nações do mundo, há alguma sobrevivência desse horror que foi outrora o concomitante universal de todas as promessas e obrigações. O passado, com toda a sua extensão, profundidade, e dureza, a mostrar para nós o seu hálito, e volta a borbulhar em nós, quando nos tornamos "sérios". Quando o homem pensa que é necessário fazer para si próprio uma memória, nunca a realiza sem sangue, torturas e sacrifícios, os mais terríveis sacrifícios e sacrifícios (entre eles o sacrifício dos primogênitos), as mutilações mais odiosas (por exemplo, a castração), os rituais mais cruéis de todos os cultos religiosos (pois todas as religiões estão realmente no fundo dos sistemas de crueldade) — todas estas coisas têm origem nesse instinto que encontrou na dor a sua mnemônica mais potente. Num certo sentido, toda a ascese deve ser atribuída a isto: certas ideias têm de se tornar inextinguíveis, onipresentes, "fixas", com o objetivo de hipnotizar todo o sistema nervoso e intelectual através destas "ideias fi-xas" — e os métodos e modos de vida ascéticos são o meio de libertar essas ideias da competição de todas as outras ideias, de modo a torná-las "inesquecíveis". Quanto pior a memória do homem, mais horríveis eram os sinais apresentados pelos seus costumes, a severidade das leis penais fornece em particular um indicador da extensão da dificuldade do homem em conquistar o esquecimento, e em manter alguns postulados primordiais de relações sociais sempre presentes na mente daqueles que foram os escravos de cada emoção momentânea e de cada desejo momentâneo. Nós alemães não nos consideramos certamente como uma nação especialmente cruel e de coração duro, e muito menos como uma nação especialmente casual e feliz, mas basta olhar para as nossas antigas ordenanças penais para nos apercebermos do muito trabalho que é necessário no mundo para fazer evoluir uma "nação de pensadores" (quero dizer: a nação europeia que exibe neste preciso dia o máximo de fiabilidade, seriedade, mau gosto e positividade, que tem na força destas qualidades o direito de treinar todo o tipo de mandarim europeu). Estes alemães empregaram meios terríveis para fazer para si próprios uma memória, para lhes permitir dominar os seus instintos plebeus enraizados e a brutal crudicidade desses instintos: pensar nos velhos castigos alemães, por exemplo, a lapidação (já na lenda, a pedra de moinho cai sobre a cabeça do culpado), a ruptura da roda (a invenção e a especialidade mais original do gênio alemão na esfera do castigo), o lançamento de dardos, o rasgar, ou o espezinhar por cavalos ("quartering"), a fervura do criminoso em óleo ou vinho (ainda prevalecente nos séculos XIV e XV), o esfolamento altamente popular ("corte em tiras"), o corte da carne fora do peito; pensar também no malfeitor a ser besuntado com mel, e depois exposto às moscas num sol escaldante. Foi com a ajuda de tais imagens e precedentes que o homem acabou por guardar na sua memória cinco ou seis "não farei" em relação aos quais já tinha dado a sua promessa, de modo a poder usufruir das vantagens da sociedade — e, em verdade, com a ajuda deste tipo de memória o homem acabou por alcançar a "razão"! Infelizmente! razão, seriedade, domínio sobre as emoções, todas estas coisas sombrias e sombrias que se chamam reflexão, todos estes privilégios e desfiles da humanidade: quão caro é o preço que eles exigiram! Quão sangue e crueldade é o fundamento de todo o "bem das coisas!"

4.

Mas como é que aquele outro objeto melancólico, a consciência do pecado, toda a "má consciência", veio ao mundo? E é aqui que nos voltamos para os nossos genealogistas da moral. Pela segunda vez eu digo — ou ainda não o disse? — que eles não valem nada. Apenas a sua própria experiência moderna limitada a cinco anos, nenhum conhecimento do passado, e nenhum desejo de o conhecer, muito menos um instinto histórico, um poder de "segunda visão" (que é o que é realmente necessário neste caso) — e apesar disto para entrar para a história da moral. É lógico que isto deve produzir resultados que são afastados da verdade por algo mais do que uma distância respeitosa.

Será que estes genealogistas atuais da moral alguma vez se permitiram ter a mais vaga noção, por exemplo, de que a ideia moral cardinal de "deve" tem origem na própria ideia material de "deve"? Ou que a punição se desenvolveu como uma retaliação absolutamente independente de qualquer hipótese preliminar de liberdade ou determinação da vontade?— E isto a tal ponto, que um elevado grau de civilização foi sempre primeiro necessário para o homem animal começar a fazer aquelas distinções muito mais primitivas de "intencional", "negligente", "acidental", "responsável", e os seus contrários, e aplicá-las na avaliação da punição. Essa ideia — "o malfeitor merece castigo porque poderia ter agido de outra forma", apesar de ser hoje em dia tão barata, óbvia, natural e inevitável, e de ter tido de servir como ilustração da forma como o sentimento de justiça apareceu na terra, é na realidade uma forma extremamente tardia, e mesmo refinada, de julgamento e inferência humana; a colocação desta ideia no início do mundo é simplesmente uma violação desajeitada dos princípios da psicologia primitiva. Ao longo do mais longo período da história humana, a punição nunca se baseou na responsabilidade do malfeitor pela sua ação, e consequentemente não se baseou na hipótese de que apenas os culpados deveriam ser punidos; — Pelo contrário, a punição foi infligida naqueles dias pela mesma razão que os pais punem os seus filhos ainda hoje, por raiva a uma lesão que sofreram, uma raiva que se desabafa mecanicamente sobre o autor da lesão — mas esta raiva é mantida em limites e modificada através da ideia de que cada lesão tem em algum lugar ou outro o seu preço equivalente, e pode realmente ser paga, mesmo que seja por meio da dor ao autor. De onde é que esta antiga ideia profundamente enraizada e agora talvez inadicável, retirou a sua força, esta ideia de uma equivalência entre lesão e dor? Já revelei a sua origem, na relação contratual entre credor e devedor, que é tão antiga como a existência de direitos legais e, por sua vez, aponta para as formas primárias de compra, venda, permuta e comércio.

5.

A realização destas relações contratuais excita, naturalmente (como já seria de esperar das nossas observações anteriores), muita desconfiança e oposição em relação à sociedade primitiva que as fez ou sancionou. Nesta sociedade serão feitas promessas; nesta sociedade o objetivo é proporcionar ao promotor uma memória, nesta sociedade, assim podemos suspeitar, haverá todo o espaço para a dureza, crueldade, e dor: o "devedor", a fim de induzir o crédito na sua promessa de reembolso, a fim de dar uma garantia da seriedade e da santidade da sua promessa, a fim de perfurar na sua própria consciência o dever, o dever solene, de reembolso, irá, em virtude de um contrato com o seu credor para fazer face à contingência do seu não pagamento, penhora algo que ainda possui, algo que ainda tem em seu poder, por exemplo, a sua vida ou a sua esposa, ou a sua liberdade ou o seu corpo (ou sob certas condições religiosas até a sua salvação, o bem-estar da sua alma, até a sua paz na sepultura. Assim, no Egito, onde o cadáver do devedor não encontrou, mesmo na sepultura, nenhum descanso do credor — claro, do ponto de vista egípcio, esta paz era um assunto de particular importância). Mas especialmente o credor tem o poder de infligir ao corpo do devedor todo o tipo de dor e tortura — o poder, por exemplo, de lhe cortar uma quantia que parecia proporcional à grandeza da dívida, este ponto de vista resultou na prevalência universal numa data precoce de esquemas precisos de avaliação, frequentemente horríveis na minúcia e meticulosidade da sua aplicação, esquemas de avaliação legalmente sancionados para membros individuais e partes do corpo. Considero-o já um progresso, como prova de uma concepção mais livre, menos mesquinha e mais romana do direito, quando o Código Romano das Doze Tabelas decretou que era imaterial o quanto ou o quão pouco os credores em tal contingência cortaram, "si plus plus minusve secuerunt, ne fraude esto". Deixemos clara a lógica de todo este processo de perequação, já é bastante estranho. A equivalência consiste nisto: em vez de uma vantagem diretamente compensatória da sua lesão (ou seja, em vez de uma igualização em dinheiro, terras, ou algum tipo de tagarelice), o credor é concedido como forma de reembolso e compensação uma certa sensação de satisfação — a satisfação de poder descarregar, sem qualquer problema, o seu poder sobre aquele que não tem poder, o deleite "de faire le mal pour le plaisir de le faire", a alegria na pura violência: e esta alegria será proporcionada à baixeza e humildade do credor na escala social, e é bastante apta a ter o efeito da mais deliciosa delicadeza, e até parece o antegosto de uma posição social mais elevada. Graças à punição do "devedor", o credor participa nos direitos dos mestres. Finalmente também ele, por uma vez, de certa forma, atinge a consciência edificante de poder desprezar e maltratar uma criatura — como um "inferior" — ou, em todo o caso, de o ver ser desprezado e maltratado, caso o poder real da punição, a administração da punição, já tenha sido transferido para as "autoridades". A compensação consiste, consequentemente, num pedido de indenização por crueldade e num direito de saque sobre o mesmo.

6.

É então nesta esfera da lei do contrato que encontramos o berço de todo o mundo moral das ideias de "culpa", "consciência", "dever", a "sacralidade do dever", — o seu início, como o início de todas as grandes coisas no mundo, está completa e continuamente saturado de sangue. E não deveríamos acrescentar que este mundo nunca perdeu realmente um certo sabor de sangue e tortura (nem mesmo no velho Kant; o imperativo categórico tresanda a crueldade). Foi também nesta esfera que se formou pela primeira vez aquela associação sinistra e talvez agora indissolúvel das ideias de "culpa" e "sofrimento". Para voltar a colocar a questão, porque é que o sofrimento pode ser uma compensação por "dever"? — Porque a inflicção do sofrimento produz o mais alto grau de felicidade, porque o lesado receberá em troca da sua perda (incluindo o seu vexame pela sua perda) um contra prazer extraordinário: a inflicção do sofrimento — uma verdadeira festa, algo que, como já disse, foi tanto mais apreciado quanto maior for o paradoxo criado pela posição e estatuto social do credor. Estas observações são puramente conjectural; pois, para além da natureza dolorosa da tarefa, é difícil aprofundar tão profundamente: a introdução desajeitada da ideia de "vingança" como um elo, simplesmente esconde e obscurece a visão em vez de a tornar mais clara (a vingança em si mesma conduz simplesmente de novo ao problema idêntico — "Como pode a inflicção do sofrimento ser uma satisfação?"). Na minha opinião, é repugnante à delicadeza, e ainda mais à hipocrisia dos animais domésticos domesticados (ou seja, dos homens modernos; ou seja, nós próprios), perceber com toda a sua energia até que ponto a crueldade constituía a grande alegria e deleite do homem antigo, era um ingrediente que condimentava quase todos os seus prazeres, e inversamente a extensão da ingenuidade e inocência com que manifestava a sua necessidade de crueldade, quando na realidade fez como uma questão de princípio "malícia desinteressada" (ou, para usar a expressão de Spinoza, a simpatia malévola) numa característica normal do homem — como consequentemente algo a que a consciência diz um sim sincero. O observador mais profundo talvez já tenha tido oportunidade suficiente para se aperceber desta alegria e deleite antigos da humanidade; em Beyond Good and Evil, Aph. 188 (e ainda antes, em The Dawn of Day, Aphs. 18, 77, 113), indiquei cautelosamente a contínua espiritualização e "deificação" da crueldade, que perpassa toda a história da civilização superior (e no sentido mais amplo até a constitui). De qualquer modo, o tempo não é tão longo quando era impossível conceber casamentos reais e festivais nacionais em grande escala, sem execuções, torturas, ou talvez um auto-de-fé", ou de forma semelhante conceber um lar aristocrático, sem uma criatura que servisse de rabo para a cruel e maliciosa isca dos reclusos. (O leitor talvez se lembre de Dom Quixote na corte da Duquesa: lemos hoje o conjunto de Dom Quixote com um gosto amargo na boca, quase com uma sensação de tortura, um fato que pareceria muito estranho e muito incompreensível para o autor e os seus contemporâneos — leram-no com a melhor consciência do mundo como o mais alegre dos livros; quase morreram a rir-se dele). A visão do sofrimento faz um bem, a inflicção do sofrimento faz mais um bem — esta é uma máxima dura, não obstante uma máxima fundamental, velha, poderosa, e "humana, todo-o-humana"; uma, aliás, que talvez até os macacos também subscreveriam: pois diz-se que ao inventarem crueldades bizarras estão a dar provas abundantes da sua humanidade futura, à qual, por assim dizer, estão a fazer o prelúdio. Sem crueldade, não há festa: assim ensina a mais antiga e mais longa história do homem — e no castigo há muito do festivo.

7.

Divertindo, como eu, estes pensamentos, eu sou, deixem-me dizer entre parênteses, fundamentalmente oposto a ajudar os nossos pessimistas a beber água nova para os moinhos discordantes e gemidos do seu desgosto pela vida, pelo contrário, deve ser demonstrado especificamente que, na altura em que a humanidade ainda não tinha vergonha da sua crueldade, a vida no mundo era mais brilhante do que é hoje em dia, quando há pessimistas. O escurecimento dos céus sobre o homem sempre aumentou em proporção ao crescimento da vergonha do homem perante o homem. A visão pessimista cansada, a desconfiança do enigma da vida, a negação gelada do enojado, tudo isto não são os sinais da idade mais maléfica da raça humana. Muito mais do que isso, eles vêm primeiro à luz do dia, como as flores do pântano, que são, quando o pântano a que pertencem, vem à existência — refiro-me ao refinamento e à moralização da doença, graças à qual o "homem animal" aprendeu finalmente a ter vergonha de todos os seus instintos. No caminho para o angelhood (não usar neste contexto uma palavra mais dura) o homem desenvolveu aquele estômago dispéptico e a língua revestida, que lhe tornaram não só a alegria e inocência do animal repulsivo, mas também a própria vida: de modo que, por vezes, ele fica com as narinas paradas diante de si próprio, e, tal como o Papa Inocêncio III, faz uma lista negra dos seus próprios horrores ("geração impura, nutrição odiosa quando no corpo materno, maldade da matéria a partir da qual o homem se desenvolve, fedor horrível, secreção de saliva, urina, e excrementos"). Nos dias de hoje, quando o sofrimento é sempre trazido como o primeiro argumento contra a existência, como a sua pergunta mais sinistra, é bom recordar os tempos em que os homens julgavam com princípios convergentes porque não podiam dispensar a infligência do sofrimento, e viam aí uma magia da primeira ordem, um verdadeiro engodo de sedução à vida.

Talvez naqueles dias (isto é para consolar os fracos) a dor não doesse tanto como hoje em dia: qualquer médico que tenha tratado os negros (dado que estes são tomados como representativos do homem pré-histórico) sofrendo de inflamações internas graves que levariam um europeu, embora tivesse a constituição mais sólida, quase a desesperar, estaria em condições de chegar a esta conclusão. A dor não tem o mesmo efeito com os negros. (A curva da sensibilidade humana à dor parece de fato afundar-se de uma forma extraordinária e quase repentina, assim que se ultrapassa os dez mil ou dez milhões de humanidade supercivilizada, e eu pessoalmente não tenho dúvidas de que, em comparação com uma noite dolorosa passada por uma única cítara histérica de uma mulher culta, o sofrimento de todos os animais juntos que foram colocados à questão da faca, de modo a dar respostas científicas, são simplesmente insignificantes). Talvez nos seja permitido admitir a possibilidade de o desejo de crueldade não se ter necessariamente tornado realmente extinto: apenas requer, tendo em conta o fato de que a dor dói mais hoje em dia, uma certa sublimação e subtilização, deve ser especialmente traduzida para o plano imaginativo e psíquico, e ser adornada com eufemismos tão presunçosos, que mesmo a consciência mais fastidiosa e hipócrita nunca poderia suspeitar da sua verdadeira natureza ("Piedade trágica" é um destes eufemismos: outro é "les nostalgies de la croix"). O que realmente suscita a indignação contra o sofrimento não é o sofrimento intrínseco, mas a insensatez do sofrimento; tal insensatez, porém, não existia nem no cristianismo, que interpretava o sofrimento como um todo misterioso aparato de salvação, nem nas crenças do ingênuo homem antigo, que só soube encontrar um significado no sofrimento do ponto de vista do espectador, ou do infligidor do sofrimento. Para tirar do mundo o sofrimento secreto, não descoberto e não testemunhado, era quase obrigatório inventar deuses e uma hierarquia de seres intermediários, em suma, algo que vagueia mesmo entre lugares secretos, vê mesmo no escuro, e faz questão de nunca perder um espetáculo interessante e doloroso. Foi com a ajuda de tais invenções que a vida aprendeu a mostra da força, que se tornou parte da sua ferramenta de trabalho, a a sua força autojustificação, da justificação do mal, hoje em dia, isto exigiria talvez outros dispositivos auxiliares (por exemplo, a vida como enigma, a vida como problema de conhecimento). "Todo o mal é justificado à vista do qual um deus encontra edificação", assim se estendeu a lógica do sentimento primitivo — e, de fato, foi apenas de primitivo? Os deuses concebidos como amigos de espetáculos de crueldade — oh, até que ponto esta concepção primitiva se estende ainda hoje à nossa civilização europeia! Neste contexto, talvez se queira consultar Lutero e Calvino. De qualquer modo, é certo que até os gregos não conheciam mais temperos picantes para a felicidade dos seus deuses do que as alegrias da crueldade. Qual foi, na sua opinião, o estado de espírito com que Homero faz os seus deuses desprezarem os destinos dos homens? Que significado final tem no fundo a Guerra de Troia e horrores trágicos semelhantes? É impossível entreter qualquer dúvida sobre o assunto. Foram concebidos como jogos festivos para os deuses, e, na medida em que o poeta é de uma raça mais divina do que outros homens, como jogos festivos também para os poetas. Era neste espírito e em nenhum outro, que mais tarde os filósofos morais da Grécia conceberam os olhos de Deus como ainda olhando para a luta moral, o heroísmo, e a autotortura dos virtuosos. O Heracles do dever estava num palco, e estava consciente do fato, a virtude sem testemunhas era algo bastante impensável para esta nação de atores. Não deve aquela invenção filosófica, tão audaciosa e tão fatal, então absolutamente nova na Europa, a invenção do "livre arbítrio", da espontaneidade absoluta do homem no bem e no mal, ter sido feita simplesmente com o objetivo específico de justificar a ideia, de que o interesse dos deuses pela humanidade e pela virtude humana era inesgotável?

Nunca haveria no palco deste mundo de livre arbítrio uma escassez de situações realmente novas, realmente novas e excitantes, enredos, catástrofes. Um mundo pensado em linhas completamente deterministas seria facilmente adivinhado pelos deuses, e logo os aborreceria — razão suficiente para que estes amigos dos deuses, os filósofos, não atribuíssem aos seus deuses um mundo tão determinista. Toda a humanidade antiga está cheia de delicada consideração pelo espectador, uma vez que se trata de um mundo de publicidade e teatralização minuciosas, que não poderia conceber a felicidade sem espetáculos e festivais. — E, como já foi dito, mesmo em grande castigo há tanto que é festivo.

8.

O sentimento de "dever", de obrigação pessoal (de retomar o comboio do nosso inquérito), teve, como vimos, a sua origem na mais antiga e original relação pessoal que existe, a relação entre comprador e vendedor, credor e devedor: aqui foi esse indivíduo confrontado, e esse indivíduo combinou a si próprio contra indivíduo. Ainda não foi encontrado um grau de civilização tão baixo, a ponto de não manifestar algum vestígio desta relação. Fazer preços, avaliar valores, pensar em equivalentes, trocar — tudo isto preocupava os pensamentos primordiais do homem a tal ponto que num certo sentido constituía o próprio pensamento: foi aqui que foi treinada a mais antiga forma de sagacidade, foi aqui nesta esfera que talvez possamos traçar o primeiro início do orgulho do homem, do seu sentimento de superioridade sobre outros animais. Talvez a nossa palavra "Mensch" (manas) ainda expresse apenas algo deste orgulho próprio: o homem denotou-se a si próprio como o ser que mede valores, que valoriza e mede, como o animal "avaliador" por excelência. Venda e compra, juntamente com os seus concomitantes psicológicos, são mais antigos do que as origens de qualquer forma de organização e união social: é antes da forma mais rudimentar de direito individual que a consciência de troca, comércio, dívida, direito, obrigação, compensação foi primeiramente transferida para o mais rudimentar e elementar dos complexos sociais (na sua relação com complexos semelhantes), o hábito de comparar força com força, juntamente com o de medir, de calcular. O seu olhar estava agora centrado nesta perspectiva; e com aquela consistência ponderosa característica dos antigos pensamentos, que, embora posto em marcha com dificuldade, mas que prossegue inflexivelmente na linha em que começou, o homem logo chegou à grande generalização, "tudo tem o seu preço, tudo pode ser pago", o mais antigo e mais ingênuo cânone moral da justiça, o início de toda a "bondade", de toda a "equidade", de toda a "boa vontade", de toda a "objetividade" do mundo. A justiça, nesta fase inicial, é a boa vontade entre as pessoas com cerca de igual poder para se entenderem umas com as outras, para chegarem de novo a um entendimento através de um acordo, e no que diz respeito aos menos poderosos, para os obrigar a chegar a um acordo entre eles.

9.

Medido sempre pelo padrão da antiguidade (esta antiguidade, aliás, está presente ou é novamente possível em todos os períodos), a comunidade mantém-se perante os seus membros nessa importante e radical relação de credor com os seus "devedores". O homem vive numa comunidade, o homem goza das vantagens de uma comunidade (e que vantagens! subestimamo-las ocasionalmente hoje em dia), o homem vive protegido, poupado, em paz e confiança, seguro de certas lesões e inimizades, às quais o homem fora da comunidade, o homem "sem paz", está exposto, — um alemão compreende o significado original de "Elend" (êlend), — seguro porque assumiu compromissos e obrigações para com a comunidade no que diz respeito a estas mesmas lesões e inimizades. O que acontece quando não é este o caso? A comunidade, o credor defraudado, será paga, bem como pode, pode-se contar com isso. Neste caso, a questão dos danos diretos causados pelo infrator é bastante subsidiária: para além disso, o criminoso é sobretudo um dissidente, um quebrador de palavra e de pacto para com o todo, no que diz respeito a todas as vantagens e comodidades da vida comunitária em que até então tinha participado. O criminoso é um "devedor" que não só não paga os adiantamentos e vantagens que lhe foram concedidos, como até se propõe atacar o seu credor: consequentemente, no futuro, não só é privado, como é justo, de todas estas vantagens e amenidades — além disso, é-lhe recordada a importância dessas vantagens. A ira do credor ferido, da comunidade, coloca-o de novo no estado selvagem e fora-da-lei do qual era anteriormente protegido: a comunidade repudia-o — e agora todo o tipo de inimizade pode desabafar sobre ele. A punição é nesta fase da civilização simplesmente a cópia, a mímica, do tratamento normal do ini-migo odiado, desprezado e conquistado, que não só é privado de todo o direito e proteção, mas também de toda a misericórdia; por isso temos a lei marcial e o festival triunfante do væ victis! em toda a sua impiedade e crueldade. Isto mostra porque é que a própria guerra (contando o culto sacrificial da guerra) produziu todas as formas sob as quais a punição se manifestou na história.

10.

À medida que se torna mais poderosa, a comunidade tende a tomar as ofensas do indivíduo menos seriamente, porque ago-

ra é considerado muito menos revolucionário e perigoso para a existência empresarial: o malfeitor já não é proscrito e colocado fora do pálido, a ira comum já não se pode desabafar sobre ele com a sua velha licença, — pelo contrário, a partir deste preciso momento é contra esta ira, e particularmente contra a ira dos diretamente feridos, que o malfeitor é cuidadosamente protegido e protegido pela comunidade. À medida que, de fato, a lei penal se desenvolve, as seguintes características tornam-se cada vez mais claramente marcadas: compromisso com a ira das pessoas diretamente afetadas pelo delito, esforço consequente para localizar a questão e impedir uma maior, ou mesmo uma propagação geral da perturbação; tentativa de encontrar equivalentes e de resolver toda a questão (compositio); acima de tudo, a vontade, que se manifesta com crescente definitivo, de tratar cada delito como sendo, em certo grau, suscetível de ser pago e, consequentemente, até um certo ponto, de isolar o delinquente do seu ato, medida que o poder e a consciência de si próprio de uma comunidade aumentam, a lei penal torna-se proporcionalmente mitigada; por outro lado, cada enfraquecimento e ameaça da comunidade revive as formas mais duras dessa lei. O credor sempre se tornou proporcionalmente mais humano à medida que enriqueceu; finalmente, a quantidade de ferimentos que pode suportar sem realmente sofrer torna-se o critério da sua riqueza. É possível conceber uma sociedade abençoada com uma consciência tão grande do seu próprio poder a ponto de se entregar ao luxo mais aristocrático de deixar que os seus malfeitores fiquem impunes — "O que é que os meus parasitas me importam?" poderia dizer a sociedade. "Deixem-nos viver e florescer!" A justiça que começou com a máxima, "Tudo pode ser pago, tudo deve ser pago", termina com a conivência na fuga daqueles que não podem pagar para escapar — termina, como qualquer coisa boa na terra, destruindo-se a si mesma.
— A autodestruição da Justiça! conhecemos o bonito nome que ela se chama a si própria — Grace! continua a ser, como é óbvio, o privilégio dos mais fortes, melhor ainda, a sua superlei.

11.

Uma palavra depreciativa aqui contra as tentativas, que ultimamente têm sido feitas, de encontrar a origem da justiça noutra base — a do ressentimento. Permitam-me que sussurre uma palavra ao ouvido dos psicólogos, se eles desmaiassem ao estudar a vingança a si próprios de perto: esta planta floresce atualmente mais bonita entre anarquistas e antissemitas, uma flor escondida, como sempre foi, no entanto, como a violeta, com outro perfume. E como deve necessariamente emanar de semelhantes, não será motivo de surpresa que seja apenas em tais círculos que se veja o nascimento de empreendimentos (é o seu antigo local de nascimento — compare acima, Primeiro Ensaio, parágrafo 14), para santificar a vingança sob o nome de justiça (como se a Justiça estivesse no fundo apenas um desenvolvimento da consciência da lesão), e assim com a reabilitação da vingança para reintegrar geral e coletivamente todas as emoções reativas. Oponho-me a isto o último ponto de tudo. Parece mesmo meritório quando considerado do ponto de vista de todo o problema da biologia (do qual o valor destas emoções tem sido subestimado até ao presente). E aquilo para o qual apenas eu chamo a atenção é a circunstância de ser o próprio espírito de vingança, a partir do qual se desenvolve esta nova nuance de equidade científica (em benefício do ódio, inveja, desconfiança, ciúme, suspeição, rancor, vingança). Esta "equidade" científica termina imediatamente e dá lugar aos acentos de inimizade e preconceito mortal, assim que entra em cena outro grupo de emoções, que na minha opinião têm um valor biológico muito superior a estas reações e, consequentemente, têm uma importância primordial para a valorização e apreciação da ciência: Refiro-me às emoções realmente ativas, como a ambição pessoal e material, e assim por diante. (E. Dühring, Valor da Vida; Curso de Filosofia, e passim.) Tanto contra esta tendência em geral: mas quanto à máxima particular de Dühring, de que a casa da Justiça se encontra na esfera dos sentimentos reativos, o nosso amor pela verdade obriga-nos a inverter drasticamente a sua própria proposta e a opor-lhe esta outra máxima: a última esfera conquistada pelo espírito da justiça é a esfera do sentimento de reação! Quando se trata realmente de que o homem justo permanece apenas no que diz respeito ao seu injusto (e não apenas frio, moderado, reservado, indiferente): ser justo é sempre um estado positivo); quando, apesar da forte provocação de insulto pessoal, desprezo e calúnia, a elevada e clara objetividade do olhar justo e julgador (cujo olhar é tão profundo como gentil) não é perturbado, porque é que então temos um pedaço de perfeição, um mestre passado do mundo — algo, de fato, que não seria sensato esperar, e que não deve, de modo algum, ser acreditado com demasiada facilidade. Falando em geral, não há dúvida de que mesmo o indivíduo mais justo apenas necessita de uma pequena dose de hostilidade, malícia, ou insinuação para conduzir o sangue para o seu cérebro e a justiça a partir dele. O homem ativo, o homem atacante e agressivo está sempre cem graus mais próximo da justiça do que o homem que apenas reage; não tem certamente necessidade de adoptar as tácticas, necessárias no caso do homem que reage, de fazer avaliações falsas e enviesadas do seu objeto. É, de fato, por esta razão que o homem agressivo desfrutou sempre de uma perspectiva mais forte, mais arrojada, mais aristocrática, e mais livre, de uma consciência melhor. Por outro lado, já supomos quem realmente é que tem na sua consciência a invenção da "má consciência", — o homem ressentido! Finalmente, que o homem se olhe a si próprio na história. Em que esfera, até ao presente, toda a administração do direito, a necessidade real do direito, encontrou a sua casa terrena? Na esfera do homem que reage? Nem por um minuto: antes do homem ativo, forte, espontâneo, agressivo? Desafio deliberadamente o agitador acima mencionado (que faz ele próprio esta autoconfissão, "o credo da vingança percorreu todas as minhas obras e esforços como o fio vermelho da Justiça"), e digo, que julgado historicamente o direito no mundo representa a própria guerra contra o reativo sentimentos, a própria guerra travada sobre esses sentimentos pelos poderes de atividade e agressão, que dedicam alguma da sua força a barrar e manter dentro dos limites esta efervescência da reatividade histérica, e a forçá-la a algum compromisso. Em todos os lugares onde a justiça é praticada e mantida, é de observar que o poder mais forte, quando confrontado com os poderes mais fracos que lhe são inferiores (sejam eles grupos, ou indivíduos), procura armas para pôr fim à fúria insensata do ressentimento, enquanto prossegue o seu objeto, em parte tirando a vítima do ressentimento das garras da vingança, em parte substituindo a vingança por uma campanha própria contra os inimigos da paz e da ordem, em parte encontrando, sugerindo, e ocasionalmente impondo acordos, em parte padronizando certos equivalentes para ferimentos, aos quais o equivalente do ressentimento é doravante finalmente referido. No entanto, a medida mais drástica, tomada e realizada pelo poder supremo, para combater a preponderância dos sentimentos de rancor e vingança — toma esta medida logo que seja suficientemente forte para o fazer — é o fundamento da lei, a declaração imperativa do que aos seus olhos deve ser considerado como justo e legal, e do que injusto e ilegal: e enquanto, após o fundamento da lei, o poder supremo trata os atos agressivos e arbitrários de indivíduos, ou de grupos inteiros, como uma violação da lei, e uma revolta contra si próprio, distrai os sentimentos dos seus súditos dos danos imediatos infligidos por tal violação, e assim acaba por atingir o resultado exatamente oposto ao sempre desejado pela vingança, que não vê e não reconhece senão o ponto de vista da parte lesada. A partir de agora o olho torna-se treinado para uma avaliação cada vez mais impessoal do ato, mesmo o próprio olho da parte lesada (embora isto esteja na fase final de tudo, como já foi anteriormente observado) — neste princípio "certo" e "errado" manifestam-se primeiro após o fundamento da lei (e não, como sustenta Dühring, apenas após o ato de violação). Falar de direito intrínseco e erro intrínseco é absolutamente não sensato; intrinsecamente, um dano, uma opressão, uma exploração, uma aniquilação não pode ser nada de errado, na medida em que a vida é essencialmente (ou seja, nas suas funções cardinais) algo que funciona ferindo, oprimindo, explorando e aniquilando, e é absolutamente inconcebível sem tal carácter. É necessário fazer uma confissão ainda mais séria: — vistas do ponto de vista biológico mais avançado, as condições de legalidade só podem ser condições excepcionais, na medida em que são restrições parciais da verdadeira vontade de vida, o que faz do poder, e na medida em que estão subordinadas ao fim geral da vida como meio particular, ou seja, como meio de criar unidades de força maiores. Uma organização legal, concebida como soberana e universal, não como uma arma numa luta de complexos de poder, mas como uma arma contra a luta, geralmente algo depois do estilo do modelo comunista de Dühring de tratar cada vontade como igual a qualquer outra vontade, seria um princípio hostil à vida, um destruidor e dissolvente do homem, um ultraje ao futuro do homem, um sintoma de fadiga, um corte secreto ao Nada.

12.

Uma palavra mais sobre a origem e o fim do castigo — dois problemas que são ou devem ser mantidos distintos, mas que infelizmente são normalmente reunidos num só. E que táticas têm os nossos genealogistas morais utilizado até ao presente nestes casos? A sua inveterada naïveté. Descobrem algum "fim" no castigo, por exemplo, a vingança e a dissuasão, e depois em toda a sua inocência fixam este fim no início, como a causa fiendi do castigo, e — eles fizeram o truque. Mas o remendo de uma história da origem da lei é o último uso a que o "fim da lei" deve ser posto. Talvez não haja princípio mais grávido para qualquer tipo de história do que o seguinte, o qual, por mais difícil que seja dominar, não deve, no entanto, ser dominado em todos os pormenores. -A origem da existência de uma coisa e a sua utilidade final, a sua aplicação prática e a sua incorporação num sistema de fins, são "opostas umas às outras" — tudo, tudo, que existe e que prevalece em qualquer lugar, será sempre colocado a novos propósitos por uma força superior a si mesmo, será mandado de novo, será transformado e transformado em novos usos; todo o "acontecer" no mundo orgânico consiste em sobrepujar e dominar, e mais uma vez todo o sobrepujar e dominar é uma nova interpretação e ajuste, que deve necessariamente obscurecer ou apagar absolutamente o "significado" e o "fim" subsistentes. A compreensão mais perfeita da utilidade de qualquer órgão fisiológico (ou também de uma instituição legal, costume social, hábito político, forma na arte ou no culto religioso) não implica por um minuto qualquer compreensão simultânea da sua origem: isto pode parecer desconfortável e desagradável para os homens mais velhos, — pois tem sido a crença imemorial de que compreender a causa final ou a utilidade de uma coisa, uma forma, uma instituição, significa também compreender a razão da sua origem: para dar um exemplo desta lógica, o olho foi feito para ver, a mão foi feita para agarrar. Assim, até a punição foi concebida como inventada com o objetivo de punir. Mas todos os fins e todas as utilidades são apenas sinais de que uma vontade de Poder dominou uma força menos poderosa, impressionou nela o significado de uma função; e toda a história de uma "Coisa", um órgão, um costume, pode, pelo mesmo princípio, ser considerada como uma contínua "cadeia de sinais" de perpétuas interpretações e ajustamentos novos, cujas causas, longe de precisarem de ter sequer uma ligação mútua, por vezes seguem e alternam uns com os outros absolutamente ao acaso. Do mesmo modo, a evolução de uma "coisa", de um costume, é tudo menos o seu progresso até ao fim, e menos ainda um progresso lógico e direto alcançado com o mínimo dispêndio de energia e custo: é antes a sucessão de processos de subjugação, mais ou menos profundos, mais ou menos mutuamente independentes, que operam sobre a própria coisa; é, além disso, a resistência que, em cada caso, invariavelmente demonstrou esta subjugação, o A Protean luta por meio de defesa e reação, e, além disso, os resultados de contra esforços bem sucedidos. A forma é fluida, mas o seu significado é ainda mais — mesmo dentro de cada organismo individual o caso é o mesmo: com cada crescimento genuíno do todo, a "função" dos órgãos individuais torna-se deslocada, — em certos casos um perecimento parcial destes órgãos, uma diminuição do seu número (por exemplo, através da aniquilação dos membros de ligação), pode ser um sintoma de força e perfeição crescentes. O que quero dizer é o seguinte: mesmo perda parcial de utilidade, decadência e degeneração, perda de função e de propósito, numa palavra, morte, própria das condições do progresso genuíno; que aparece sempre sob a forma de uma vontade e caminho para um poder maior, é sempre realizada à custa de inúmeros poderes menores. A magnitude de um "progresso" é aferida pela grandeza do sacrifício que exige: a humanidade como um sacrifício em massa para a prosperidade da única espécie mais forte do Homem — isso seria um progresso. Sublinho ainda mais esta característica cardinal do método histórico, pela razão de que na sua essência vai contra os instintos predominantes e o gosto dominante, que muito preferem suportar com absoluta casualidade, mesmo com a insensatez mecânica de todos os fenômenos, do que com a teoria de uma vontade de poder, em jogo exaustivo ao longo de todos os fenômenos. A idiossincrasia democrática contra tudo o que governa e deseja governar, o misarquismo moderno (cunhar uma palavra má para uma coisa má), transformou-se gradualmente mas tão profundamente no disfarce do intelectualismo, o intelectualismo mais abstrato, que ainda hoje penetra e tem o direito de penetrar passo a passo nas ciências mais exatas e aparentemente mais objetivas: esta tendência já dominou, na minha opinião, toda a fisiologia e biologia, e em seu detrimento, como é óbvio, na medida em que afastou uma ideia radical, a ideia de verdadeira atividade. A tirania desta peculiaridade, no entanto, faz com que a teoria da "adaptação" seja empurrada para a van do argumento, explorada; adaptação — isto é, uma atividade de segunda classe, uma mera capacidade de "reagir"; de fato, a própria vida tem sido definida (por Herbert Spencer) como uma adaptação interna cada vez mais eficaz às circunstâncias externas. Esta definição, no entanto, não consegue realizar a verdadeira essência da vida, a sua vontade de poder. Não aprecia a superioridade primordial desfrutada por essas forças plásticas de espontaneidade, agressão e intromissão com as suas novas interpretações e tendências, para cuja operação a adaptação é apenas um corolário natural: consequentemente, a função soberana dos mais altos funcionários do próprio organismo (entre os quais a vontade de vida aparece como um princípio ativo e formativo) é repudiada. Lembra-se da censura de Huxley a Spencer pelo seu "niilismo administrativo": mas trata-se de algo muito mais do que "administração".

13.

Para voltar ao nosso assunto, nomeadamente a punição, temos de fazer consequentemente uma dupla distinção: em primeiro lugar, o elemento relativamente permanente, o costume, o ato, o "drama", uma certa sequência rígida de métodos de procedimento; por outro lado, o elemento fluido, o significado, o fim, a expectativa que está ligada ao funcionamento de tal procedimento. Neste ponto assumimos imediatamente, por analogia (de acordo com a teoria do método histórico, que elaboramos acima), que o próprio procedimento é algo mais antigo e anterior à sua utilização em castigo, que esta utilização foi introduzida e interpretada no procedimento (que já existia há muito tempo, mas cujo emprego tinha outro significado), em suma, que o caso é diferente do até agora suposto pelos nossos genealogistas ingênuos da moral e da lei, que pensavam que o procedimento tinha sido inventado com o objetivo de punir, da mesma forma que se pensava anteriormente que a mão tinha sido inventada com o objetivo de agarrar. Em relação ao outro elemento da punição, o seu elemento fluido, o seu significado, a ideia de punição numa fase muito tardia da civilização (por exemplo, a Europa contemporânea) não se contenta em manifestar apenas um significado, mas manifesta toda uma síntese "de significados". A história geral passada da punição, a história do seu emprego para os mais diversos fins, cristaliza-se eventualmente numa espécie de unidade, que é difícil de analisar nas suas partes, e que, é necessário sublinhar, desafia absolutamente a definição. (Hoje em dia é impossível dizer definitivamente a razão precisa da punição: todas as ideias, em que todo um processo é compreendido de forma promíscua, escapam à definição; só a que não tem história, é que pode ser definida). Numa fase anterior, pelo contrário, essa síntese de significados parece muito menos rígida e muito mais elástica; podemos perceber como em cada caso individual os elementos da síntese mudam o seu valor e a sua posição, de modo que agora um elemento e agora outro se destaca e predomina sobre os outros, não, em certos casos um elemento (talvez o fim da dissuasão) parece eliminar todo o resto. De qualquer modo, de modo a dar uma ideia da natureza incerta, suplementar e acidental do significado da punição e da forma como um procedimento idêntico pode ser utilizado e adaptado aos objetos mais diametralmente opostos, darei neste momento um esquema que me foi sugerido, um esquema em si mesmo baseado em material relativamente pequeno e acidental. — Punição, como tornando o criminoso inofensivo e incapaz de causar mais danos. — Punição, como compensação pelo dano sofrido pela parte lesada, sob qualquer forma (incluindo a forma de compensação sentimental). — Punição, como isolamento daquilo que perturba o equilíbrio, de modo a evitar que a perturbação se propague ainda mais. — Punição, como meio de inspirar o medo daqueles que determinam e executam a punição. — Punição, como uma espécie de compensação por vantagens de que o infrator usufruiu até esse momento (por exemplo, quando é utilizado como escravo nas minas). — Punição, como a eliminação de um elemento de decadência (por vezes de um todo o castigo como festival, como a opressão violenta e humilhação de um inimigo que foi finalmente subjugado. — Punição como mnemônica, quer para aquele que sofre o castigo — a chamada "correção", quer para as testemunhas da sua administração. Punição, como o pagamento de uma taxa estipulada pelo poder que protege o malfeitor dos excessos de vingança. — Punição, como um compromisso com o fenômeno natural da vingança, na medida em que a vingança ainda é mantida e reivindicada como um privilégio pelas raças mais fortes. — Punição, como declaração e medida de guerra contra um inimigo da paz, da lei, da ordem, da autoridade, que é combatido pela sociedade com as armas que a guerra fornece, como espírito perigoso para a comunidade, como quebrador do contrato em que a comunidade se baseia, como rebelde, traidor, e quebrador da paz.

14.

Esta lista não está certamente completa; é óbvio que a punição está sobrecarregada com utilidades de todo o tipo. Isto torna ainda mais admissível eliminar uma suposta utilidade, que passa, pelo menos na mente popular, pela sua utilidade mais essencial, e que é precisamente o que ainda hoje fornece o mais forte apoio para aquela fé no castigo que hoje em dia é, por muitas razões, vacilante. O castigo é suposto ter o valor de excitar no culpado a consciência de culpa; no castigo procura-se o instrumento adequado dessa reação psíquica que se torna conhecida como "má consciência", "remorso". Mas esta teoria é mesmo, do ponto de vista do presente, uma violação da realidade e da psicologia: e muito mais quando temos de lidar com o período mais longo da história do homem, a sua história primitiva! O remorso genuíno é certamente extremamente raro entre os malfeitores e as vítimas de castigo; as prisões e as casas de correção não são o solo em que este verme de remorso puxa para a escolha — esta é a opinião unânime de todos os observadores conscienciosos, que em muitos casos chegam a tal julgamento com suficiente relutância e contra os seus próprios desejos pessoais. Falando em geral, o castigo endurece e entorpece, produz concentração, aguça a consciência da alienação, reforça o poder de resistência. Quando acontece que quebra a energia do homem e provoca uma prostração piedosa e abjecta, tal resultado é certamente ainda menos salutar do que o efeito médio da punição, que se caracteriza por uma dura e sinistra obstinação. O pensamento daqueles milênios pré-históricos leva-nos à conclusão sem hesitação, que foi simplesmente através do castigo que a evolução da consciência de culpa foi mais forçosamente retardada — de qualquer forma nas vítimas do poder punitivo. Em particular, não subestimemos a medida em que, pelo próprio olhar do processo judicial e executivo, o malfeitor é ele próprio impedido de sentir que o seu ato, o caráter do seu ato, é intrinsecamente repreensível: pois vê claramente o mesmo tipo de atos praticados ao serviço da justiça, e depois chamados de bons, e praticados com boa consciência, atos como espionagem, truques, subornos, armadilhas, toda a arte intrigante e insidiosa do polícia e do informador — todo o sistema, de fato, manifestado nos diferentes tipos de punição (um sistema não desculpado pela paixão, mas baseado em princípios), de roubo, opressão, insulto, aprisionamento, tortura, assassinato. — Tudo isto ele vê tratado pelos seus juízes, não como atos merecedores de censura e condenação em si mesmos, mas apenas num contexto e aplicação particulares. Não foi neste solo que cresceu a "má consciência", a planta mais sinistra e interessante da nossa vegetação terrestre — de fato, durante um período muito longo, nenhuma sugestão de ter a ver com um "homem culpado" manifestou-se na consciência do homem que julgou e castigou. Tivemos apenas de lidar com um autor de um ferimento, uma peça irresponsável do destino.

E o próprio homem, sobre o qual a punição caiu subsequentemente como um pedaço do destino, não foi mais ocasionado por uma "dor interior" do que seria ocasionado pela súbita aproximação de algum acontecimento não calculado, alguma terrível catástrofe natural, uma avalanche apressada e esmagadora contra a qual não há resistência.

15.

Esta verdade chegou de forma insidiosa à consciência de Spinoza (à repugnância dos seus comentadores, que como Kuno Fischer, por exemplo) não se dão ao trabalho de o entender mal neste ponto), quando uma tarde (enquanto ele se sentava a arrebatar quem sabe que memória) se entregou à questão do que realmente lhe restava pessoalmente dos célebres *morsus conscientiæ* — Spinoza, que tinha relegado "o bem e o mal" para a esfera da imaginação humana, e indignadamente defendia a honra do seu Deus "livre" contra aqueles blasfemos que afirmavam que Deus fazia tudo *sub ratione boni* ("mas isto equivalia a subordinar Deus ao destino, e seria realmente o maior de todos os absurdos"). Para Spinoza, o mundo tinha voltado novamente àquela inocência em que estava antes da descoberta da má consciência: o que tinha então acontecido aos morsus conscientiæ? "A antítese do gaudium", disse ele finalmente a si próprio," Uma tristeza acompanhada pela recordação de um acontecimento passado que se revelou contrário a todas as expectativas" (Eth. III., Proposta. XVIII. Schol. i. ii.). Os malfeitores sentiram, ao longo de milhares de anos, quando foram ultrapassados por castigos exatamente como Spinoza, sobre o tema da sua "ofensa": "aqui está algo que correu mal ao contrário da minha expectativa", e não "eu não deveria ter feito isto" — submeteram-se à punição, tal como se submete a uma doença, a um infortúnio, ou à morte, com aquele fatalismo teimoso e resignado que dá aos russos, por exemplo, ainda hoje, a vantagem sobre nós, ocidentais, no tratamento da vida. Se nesse período houvesse uma crítica de ação, o critério era a prudência: o verdadeiro efeito da punição reside, inquestionavelmente, sobretudo num aguçar do sentido da prudência, num prolongamento da memória, numa vontade de adotar mais uma política de prudência, suspeita e sigilo; no reconhecimento de que há muitas coisas que estão inquestionavelmente para além da própria capacidade; numa espécie de melhoria da autocrítica. Os amplos efeitos que podem ser obtidos pela punição no homem e no animal, são o aumento do medo, o aguçar do sentido da astúcia, o domínio dos desejos: assim é que a punição doma o homem, mas não o torna "melhor" — seria mais correto ir ao ponto de afirmar o contrário ("A lesão torna um homem astuto", diz um provérbio popular: na medida em que o torna astuto, também o torna mau. Felizmente, muitas vezes, isso torna-o estúpido).

16.

Neste momento, não posso evitar tentar dar uma expressão provisória e provisória à minha própria hipótese sobre a origem da má consciência: é difícil fazer com que seja plenamente apreciada, e requer meditação, atenção, e digestão contínuas. Considero a má consciência como a doença grave que o homem era obrigado a contrair sob o stress da mudança mais radical que já experimentou — essa mudança, quando se viu finalmente preso dentro da palidez da sociedade e da paz.

Tal como a situação dos animais aquáticos, quando foram obrigados a tornar-se animais terrestres ou a perecer, também o foi a situação destes meios-animais, perfeitamente adaptados como o foram à vida selvagem da guerra, da vagabundagem e da aventura — da mente, todos os seus instintos se tornaram inúteis e "desligados". Daí em diante tiveram de andar de pé — "carregar a si próprios", enquanto até então tinham sido levados pela água: um terrível peso oprimiu-os. Encontraram-se desajeitados em obedecer às direções mais simples, confrontados com este mundo novo e desconhecido, já não tinham os seus velhos guias — os instintos reguladores que os tinham levado inconscientemente à segurança — foram reduzidos, eram essas criaturas infelizes, a pensar, a inferir, a calcular, a juntar causas e resultados, reduzidos ao órgão mais pobre e errático dos seus, a sua "consciência". Não acredito que alguma vez tenha existido no mundo um tal sentimento de miséria, um tal desconforto de chumbo. — Além disso, esses velhos instintos não tinham cessado imediatamente as suas exigências! Apenas era difícil e raramente possível gratificá-los: falando em termos gerais, eram obrigados a satisfazer-se por novos e, por assim dizer, métodos de buraco e de canto. Todos os instintos que não encontram um desabafo sem, viram-se para dentro — é isto que quero dizer com a crescente "internalização" do homem: consequentemente temos o primeiro crescimento no homem, daquilo a que posteriormente se chamou a sua alma. Todo o mundo interior, originalmente tão fino como se tivesse sido esticado entre duas camadas de pele, rebentou e expandiu-se proporcionalmente, e obteve profundidade, largura e altura, quando a saída externa do homem ficou obstruída. Estes terríveis baluartes, com os quais a organização social se protegia contra os velhos instintos de liberdade (os castigos pertencem em primeiro lugar a esses baluartes), fez com que todos esses instintos de homem selvagem, livre e proeminente se voltassem para trás contra o próprio homem. A inimizade, a crueldade, o prazer da perseguição, das surpresas, da mudança, da destruição — virando todos estes instintos contra os seus próprios possuidores: esta é a origem da "má consciência". Foi o homem, que, sem inimigos e obstáculos externos, e aprisionado como estava na opressiva estreiteza e monotonia do costume, na sua própria impaciência lacerada, perseguida, roída, assustada e maltratada; foi este animal nas mãos do domador, que se bateu contra as barras da sua gaiola; foi este ser que, ansioso e ansioso por aquela casa deserta de que tinha sido privado, foi obrigado a criar de si próprio, uma aventura, uma câmara de tortura, um deserto perigoso e perigoso — foi este tolo, este prisioneiro saudoso e desesperado — que inventou a "má consciência". "Mas assim introduziu aquela doença mais grave e sinistra, da qual a humanidade ainda não se recuperou, o sofrimento do homem da doença chamada homem, como resultado de uma violenta ruptura do seu passado animal, o resultado, por assim dizer, de um mergulho espasmódico num novo ambiente e novas condições de existência, o resultado de uma declaração de guerra contra os velhos instintos, que até então tinham sido o fundamento do seu poder, da sua alegria, da sua formidabilidade. Acrescentemos imediatamente que este fato de um ego animal se virar contra si próprio, tomando parte contra si próprio, produziu no mundo um fenômeno tão novo, profundo, inédito, problemático, inconsistente e grávido, que o aspecto do mundo foi assim radicalmente alterado. Com tanta facilidade, só os espectadores divinos poderiam ter apreciado o drama que então começou, e cujo fim conjecturas ainda não foram feitas — um drama demasiado sutil, demasiado maravilhoso, demasiado paradoxal para justificar a sua apresentação não-sensical e não-auditiva num planeta grotesco qualquer! Doravante o homem deve ser considerado como um dos mais inesperados e sensacionais golpes de sorte no jogo do "grande bebê" de Heracleito, quer se chame Zeus ou Acaso — ele desperta em seu nome o interesse, excitação, esperança, quase a confiança, de ser o prenúncio e precursor de algo, de ser o homem sem fim, mas apenas um palco, um interlúdio, uma ponte, uma grande promessa.

17.

Está principalmente envolvido nesta hipótese da origem da má consciência, que essa alteração não foi gradual nem voluntária, e que não se manifestou como uma adaptação orgânica a novas condições, mas como uma pausa, um salto, uma necessidade, um destino inevitável, contra o qual não houve resistência e nunca uma centelha de ressentimento. E, em segundo lugar, que a adaptação de uma população até então não controlada e amorfa a uma forma fixa, começando como tinha feito num ato de violência, só podia ser realizada por atos de violência e nada mais — que o "Estado" mais antigo aparecesse consequentemente como um uma tirania horrível, uma peça de maquinaria implacável, que continuou a funcionar, até que esta matéria-prima de uma população semianimal não só foi completamente amassada e elástica, como também moldada. Usei a palavra "Estado": o meu significado é evidente, nomeadamente, uma manada de bestas louras de presas, uma raça de conquistadores e senhores, que com toda a sua organização bélica e todo o seu poder organizador se derramam com as suas terríveis garras sobre uma população, em números possivelmente tremendamente superiores, mas ainda sem forma, ainda nômada. Tal é a origem do "Estado". Essa teoria fantástica que a faz começar com um contrato está, penso eu, descartada. Aquele que pode comandar, aquele que é um mestre por "natureza", aquele que entra em cena com força de atos e gestos — que tem ele a ver com contratos? Tais seres desafiam os cálculos, vêm como o destino, sem causa, razão, aviso, desculpa, estão lá como se o relâmpago estivesse lá, demasiado terrível, demasiado repentino, demasiado convincente, demasiado "diferente", para serem pessoalmente até odiados. O seu trabalho é uma criação instintiva e impressionante de formas, são os artistas mais involuntários e inconscientes que existem:-a sua aparência produz instantaneamente um esquema de soberania que é vivo, em que as funções são divididas e repartidas, em que acima de tudo nenhuma parte é recebida ou encontra um lugar, até que esteja grávida de um "significado" em relação ao todo. Desconhecem o significado de culpa, responsabilidade, consideração, são estes organizadores nascidos; neles predomina aquele terrível artista-egoísmo, que brilha como latão, e que se conhece justificado para toda a eternidade, na sua obra, mesmo como mãe no seu filho. Não foi neles que cresceu a má consciência, que é elementar — mas não teria crescido sem eles, crescimento repulsivo como era, estaria ausente, se não tivesse sido expulsa do mundo uma tremenda quantidade de liberdade pelo stress dos seus golpes de martelo, pela violência dos seus artistas, ou de qualquer forma tornada invisível e, por assim dizer, latente. Este instinto de liberdade forçado a ser latente — já está claro — este instinto de liberdade forçado a voltar, pisado, preso dentro de si mesmo, e finalmente apenas capaz de encontrar em si mesmo o desabafo e o alívio; isto, apenas isto, é o início da "má consciência".

18.

Cuidado ao pensar levianamente neste fenômeno, por causa da sua feiura inicial dolorosa. No fundo, é a mesma força ativa que está em ação numa escala mais grandiosa naqueles artistas e organizadores potentes, e constrói estados, que aqui, internamente, numa escala mais pequena e menor e com tendência retrógrada, se torna uma má ciência no "labirinto do peito", para usar a frase de Goethe, e que constrói ideais negativos; é, repito, aquele instinto idêntico de liberdade (usar a minha própria linguagem, a vontade de poder): apenas o material, sobre o qual esta força com toda a sua natureza construtiva e tirânica é libertada, é aqui o próprio homem, todo o seu velho eu animal e não como no caso daquele fenómeno mais grandioso e sensacional, o outro homem, outros homens. Esta autodeterminação secreta, esta crueldade do artista, este deleite em dar um formar para si próprio como um pedaço de material difícil, refratário, e sofredor, em que se queima em vontade, crítica, contradição, desprezo, negação; este trabalho sinistro e sinistro de amor por parte de uma alma, cuja vontade está entrelaçada em dois dentro de si, que se faz sofrer de prazer na inflicção do sofrimento; esta má consciência totalmente ativa finalmente (como já se antecipa) — verdadeira cabeça de fonte como é de idealismo e imaginação — produziu uma abundância de beleza e afirmação nova e surpreendente, e talvez tenha sido realmente a primeira a dar à luz a beleza. O que seria a beleza, para além disso, se a sua contradição não tivesse sido apresentada à consciência, se o feio não tivesse primeiro dito a si mesmo: "Eu sou feio"? De qualquer modo, depois desta dica, o problema de até onde o idealismo e a beleza podem ser traçados em ideias tão opostas como "abnegação", abnegação, abnegação, abnegação, torna-se menos problemático; e indubitavelmente no futuro conheceremos certamente o caráter real e original do deleite experimentado pelo abnegado, a abnegação, a abnegação: este deleite é uma fase de crueldade. — Tanta coisa provisoriamente para a origem do "altruísmo" como valor moral, e a marcação do terreno a partir do qual este valor cresceu: é apenas a má consciência, apenas a vontade de auto-abuso, que fornece as condições necessárias para a existência do altruísmo como um valor.

19.

Sem dúvida que a má consciência é uma doença, mas uma doença como a gravidez é uma doença. Se procurarmos as condições sob as quais esta doença atinge o seu mais terrível e sublime zênite, veremos o que realmente trouxe em primeiro lugar a sua entrada no mundo. Mas para o fazer, temos de respirar fundo e, inicialmente, temos de voltar a um ponto de vista anterior. A relação em direito civil do devedor ao seu credor (que já foi discutida em pormenor), foi interpretada mais uma vez (e de fato de uma forma que historicamente é extremamente notável e suspeita) numa relação, que talvez seja mais incompreensível para nós moderados do que para qualquer outra época; ou seja, na relação da geração existente com os seus antepassados. Dentro da associação tribal original — estamos a falar de tempos primitivos — cada geração viva reconhece uma obrigação legal para com a geração anterior, e particularmente para com a mais antiga, que fundou a família (e isto é algo muito mais do que uma mera obrigação sentimental, cuja existência, durante o período mais longo da história do homem, não é de modo algum indiscutível). Neles prevalece a convicção de que é apenas graças aos sacrifícios e esforços dos seus antepassados, que a raça persiste de todo — e que isto tem de lhes ser restituído através de sacrifícios e serviços. Assim é reconhecida a dívida, que se acumula continuamente devido a estes antepassados nunca cessando na sua vida subsequente como espíritos potentes para assegurar pelo seu poder novos privilégios e vantagens para a raça. Grátis, por acaso? Mas não há grátis para essa idade crua e "mesquinha". Que retorno pode ser feito? — Sacrifício (no início, alimentação, no seu sentido mais cru), festivais, templos, tributos de veneração, acima de tudo, obediência — visto que todos os costumes são, quais obras dos antepassados, igualmente os seus preceitos e ordens — serão os antepassados alguma vez dados o suficiente? Esta suspeita permanece e cresce: de tempos a tempos extorque-nos um grande resgate por grosso, algo monstruoso na forma de reembolso do credor (o notório sacrifício do primogênito, por exemplo, sangue, sangue humano em qualquer caso). O medo dos antepassados e do seu poder, a consciência de lhes dever dívidas, aumenta necessariamente, segundo este tipo de lógica, na proporção exata em que a própria raça aumenta, em que a própria raça se torna mais vitoriosa, mais independente, mais honrada, mais temida. Isto, e não o contrário, é o fato. Cada passo para a decadência da raça, todos os acontecimentos desastrosos, todos os sintomas de degeneração, de aproximação à desintegração, diminuem sempre o medo do espírito dos fundadores, e diminuem a ideia da sua sagacidade, providência, e presença potente. Conceber este tipo de lógica grosseira levada ao seu clímax: segue-se que os antepassados das raças mais poderosas devem, através do medo crescente que exercem sobre a imaginação, crescer em dimensões monstruosas, e ficar relegados para a escuridão de um mistério divino que transcende a imaginação — o antepassado torna-se, finalmente, necessariamente transfigurado num deus. Talvez esta seja a própria origem dos deuses, ou seja, uma origem do medo! E aqueles que se sentem obrigados a acrescentar, "mas também da piedade", terão dificuldade em manter esta teoria, no que diz respeito ao período primitivo e mais longo da raça humana. Claro que isto é ainda mais verdade no que diz respeito ao período médio, o período formativo das raças aristocráticas — as raças aristocráticas que devolveram com interesse aos seus fundadores, os antepassados (heróis, deuses), todas aquelas qualidades que entretanto apareceram em si mesmas, ou seja, as qualidades aristocráticas. Mais tarde, voltaremos a olhar para o enobrecimento e promoção dos deuses (que, claro, é totalmente distinto da sua "santificação"): vamos agora seguir provisoriamente até ao seu fim o curso de todo este desenvolvimento da consciência de "dever".

20.

De acordo com o ensino da história, a consciência das dívidas à divindade não chegou de modo algum ao fim com a decadência da organização clã da sociedade; tal como a humanidade herdou as ideias de "bom" e "mau" da raça-nobreza (juntamente com a sua tendência fundamental para estabelecer distinções sociais), assim também com a herança dos deuses raciais e tribais herdou a incubação de dívidas ainda não pagas e o desejo de as liquidar. A transição é efetuada por aquelas grandes populações de escravos e escravos, que, seja por compulsão ou por submissão e "mímica", se acomodaram à religião dos seus senhores; através deste canal, estas tendências herdadas inundam o mundo. O sentimento de dever uma dívida à divindade tem crescido continuamente durante vários séculos, sempre na mesma proporção em que a ideia de Deus e a consciência de Deus cresce e tornar-se exaltado entre a humanidade. (Toda a história das lutas étnicas, vitórias, reconciliações, amálgamas, tudo, de fato, que precede a eventual classificação de todos os elementos sociais em cada grande síntese racial, é espelhada na genealogia confusa dos seus deuses, nas lendas das suas lutas, vitórias e reconciliações. Progresso para impérios universais significa invariavelmente progresso para divindades universais; o despotismo, com a sua subjugação da nobreza independente, abre sempre o caminho para algum sistema ou outro de monoteísmo). O aparecimento do deus cristão, como deus recorde até este momento, trouxe por essa mesma razão ao mundo a quantidade recorde de consciência de culpa. Admitindo que começamos gradualmente no movimento inverso, não há pouca probabilidade na dedução, baseada na contínua decadência na crença no deus cristão, de que também já existe uma decadência considerável na consciência humana de dever (deveria); de fato, não podemos fechar os olhos à perspectiva do completo e eventual triunfo do ateísmo libertando a humanidade de todo este sentimento de obrigação para com a sua origem, a sua causa prima. O ateísmo e uma espécie de segunda inocência complementam-se e complementam-se mutuamente.

21.

Lá se vai o meu esboço rudimentar e preliminar da inter-relação das ideias "deve" (deve) e "dever" com os postulados da religião. Tenho intencionalmente arquivado até ao presente a moralização real destas ideias (o fato de terem sido empurradas de volta para a consciência, ou mais precisamente o entrelaçamento da má consciência com a ideia de Deus), e no final do último parágrafo utilizei linguagem no sentido de que esta moralização não existia, e que consequentemente estas ideias tinham necessariamente chegado ao fim, devido ao que tinha acontecido à sua hipótese, a credibilidade no nosso "credor", em Deus. Os fatos reais diferem terrivelmente desta teoria. É com a moralização das ideias "deveria" e "dever", e com o seu regresso à má consciência, que surge a primeira tentativa real de inverter a direção do desenvolvimento que acabamos de descrever, ou, pelo menos, de deter a sua evolução; é precisamente nesta conjuntura que a própria esperança de uma eventual redenção tem de se colocar de uma vez por todas na prisão do pessimismo, é nesta conjuntura que o olho tem de recuar e recuperar em desespero de uma impossibilidade adamantina, é nesta conjuntura que as ideias "culpa" e "dever" têm de se virar para trás — para trás — contra quem? Não há dúvida sobre isso; principalmente contra o "devedor", em quem a má consciência se estabelece agora, come, se estende e cresce como um pólipo em todo o seu comprimento e largura, tudo com tal virulência, que finalmente, com a impossibilidade de pagar a dívida, se concebe a ideia da impossibilidade de pagar a pena, o pensamento da sua inexpiabilidade (a ideia de "castigo eterno") — finalmente, também se volta contra o "credor", quer se encontre na causa prima do homem, a origem do raça humana, o seu senhor, que doravante se torna sobrecarregado com uma maldição ("Adão", "pecado original", "determinação da vontade"), ou na Natureza de cujo ventre brota o homem, e sobre o qual a responsabilidade pelo princípio do mal é agora lançada ("Diabolização da Natureza"), ou na existência em geral, sobre esta lógica um elefante branco absoluto, com o qual a humanidade aterra (a fuga niilista da vida, a exigência do Nada, ou do oposto da existência, de alguma outra existência, budismo e afins) — até que de repente estamos perante aquele expediente paradoxal e terrível, através do qual uma humanidade torturada encontrou um alívio temporário, aquele golpe de gênio chamado cristianismo: — Deus imolando-se pessoalmente pela dívida do homem, Deus pagando-se pessoalmente de uma libra da sua própria carne, Deus como aquele ser que pode libertar o homem do que o homem se tornou incapaz de se libertar — o credor a fazer de bode expiatório para o seu devedor, do amor (acredita nisso?), por amor ao seu devedor!

22.

O leitor já terá conjecturado o que se passou no palco e nos bastidores deste drama. Essa vontade de autotortura, essa crueldade invertida do homem animal, que, transformado subjetivo e assustado em introspecção (enclausurado como estava no "Estado", como parte do seu processo de domesticação), inventou a má consciência de modo a ferir-se a si próprio, após a saída natural para esta vontade de ferir, ficou bloqueado — por outras palavras, este homem de má consciência explorou a hipótese religiosa de modo a levar o seu martírio até ao mais terrível tom de intensidade agonizante. Devido a algo a Deus: este pensamento torna-se o seu instrumento de tortura. Ele apreende em Deus as antíteses mais extremas que pode encontrar para os seus próprios instintos animais característicos e ineludíveis, ele próprio dá uma nova interpretação a estes instintos animais como sendo contra o que "deve" a Deus (como inimizade, rebelião e revolta contra o "Senhor", o "Pai", o "Senhor", o "Princípio do mundo"), ele coloca-se entre os chifres do dilema, "Deus" e "Diabo". Cada negação que está inclinado a pronunciar a si próprio, à natureza, naturalidade e realidade do seu ser, ele lança-se numa ejaculação de "sim", pronunciando-o como algo existente, vivo, eficiente, como sendo Deus, como a santidade de Deus, o julgamento de Deus, como a força de Deus, como a transcendência, como a eternidade, como o tormento sem fim, como o inferno, como o infinito do castigo e da culpa. Esta é uma espécie de loucura da vontade na esfera da crueldade psicológica que é absolutamente inigualável: — vontade do homem de se considerar culpado e culpado ao ponto da inexpiabilidade, a sua vontade de pensar em si mesmo como punido, sem que o castigo seja capaz de equilibrar a culpa, a sua vontade de infectar e envenenar a base fundamental do universo com o problema do castigo e da culpa, a fim de cortar de uma vez por todas qualquer fuga deste labirinto de "ideias fixas", a sua vontade de criar um ideal — o do "Deus santo" — cara a cara com o qual ele pode ter provas tangíveis da sua própria falta de valor. Infelizmente, para este homem de besta melancólica louca! Que fantasias a invadem, que paroxismos de perversidade, de falta de sentido histérico e de bestialidade mental irrompem imediatamente, à mínima verificação do seu ser a besta da ação. Tudo isto é excessivamente interessante, mas ao mesmo tempo manchado por uma melancolia negra, sombria e enervante, de modo que um veto forçado deve ser invocado contra olhar demasiado tempo para estes abismos. Aqui está a doença, indubitavelmente, a doença mais horripilante que até agora tem sido o caos entre os homens: e aquele que ainda consegue ouvir (mas o homem faz agora ouvidos surdos a tais sons), como nesta noite de tormento e disparate tem soado o grito de amor, o grito do êxtase mais apaixonado, da redenção no amor, afasta-se agarrado por um homem invencível e horrível — no homem há tanta coisa que é horripilante há muito tempo que o mundo tem sido um manicômio.

23.

Que isto seja suficiente de uma vez por todas no que diz respeito à origem do "Deus santo". O fato de que em si mesmo a concepção dos deuses não está necessariamente ligada a esta degradação da imaginação (uma representação temporária de cujos caprichos nos sentimos vinculados), o fato de existirem métodos mais nobres de utilização da invenção dos deuses do que nesta autocrucificação e autodegradação do homem, em que os últimos dois mil anos da Europa foram senhores do passado — estes fatos ainda podem felizmente ser percebidos a partir de cada olhar que lançamos aos deuses gregos, estes espelhos de homens nobres e grandiosos, em que o animal no homem se sentiu deificado, e não se devorou em frenesim subjetivo. Estes gregos utilizaram durante muito tempo os seus deuses como simples amortecedores contra a "má consciência" — para que pudessem continuar a gozar da sua liberdade de alma: isto, claro, é diametralmente oposto à teoria do cristianismo sobre o seu deus. Foram muito longe neste princípio, fizeram estas crianças esplêndidas e de coração de leão; e não há autoridade menor do que a do Zeus Homérico para as fazer perceber ocasionalmente que estão a tirar a vida de forma demasiado casual. "Maravilhoso", diz ele numa ocasião — tem a ver com o caso de Ægistheus, um caso muito mau de fato... "Maravilhoso como resmungam, os mortais contra os imortais, só de nós, eles presumem, vem o mal, mas na sua loucura, opinam eles, apesar do destino, a perdição do seu próprio desastre".

No entanto, o leitor notará e observará que este espectador e juiz olímpico está longe de estar zangado com eles e de pensar mal deles a este respeito. "Como eles são tolos", assim pensa ele dos erros dos mortais — e "loucura", "imprudência", "uma pequena perturbação cerebral", e nada mais, é o que os gregos, mesmo do período mais forte e corajoso, admitiram ser o chão de muito que é mal e fatal... – Loucura, não pecado, compreende?... Mas mesmo esta perturbação cerebral era um problema... "Venha, como é que é sequer possível? Como poderia ter realmente entrado em cérebros como o nosso, cérebros de homens de ascendência aristocrática, de homens de fortuna, de homens de bons dotes naturais, de homens da melhor sociedade, de homens de nobreza e virtude"? Esta foi a questão que durante séculos o grego aristocrático colocou a si próprio quando confrontado com cada (para ele incompreensível) ultraje e sacrilégio com o qual um dos seus pares se tinha poluído a si próprio. "Deve ser que um deus o tivesse apaixonado", diria ele finalmente, acenando com a cabeça. — Esta solução é típica dos gregos, ...de acordo com isso os deuses naqueles tempos cumpriam as funções de justificar o homem até certo ponto, mesmo no mal — naqueles dias não assumiam o castigo, mas, o que é mais nobre, a culpa.

24.

Concluo com três questões, como verão. "Será um ideal realmente criado aqui, ou será que um é puxado para baixo?" Talvez me perguntem.... Mas será que já se perguntaram suficientemente a vós próprios quão cara é a criação de cada ideal no mundo? Para alcançar essa consumação, quanta verdade tem sempre de ser negociada e mal compreendida, quantas mentiras têm de ser santificadas, quanta consciência tem de ser perturbada, quantas libras de "Deus" têm de ser sacrificadas de cada vez? Para permitir a criação de um santuário, um santuário tem de ser destruído: isso é uma lei — mostre-me um exemplo onde não foi cumprido!... Nós, homens modernos, herdamos a tradição imemorial de vivissecção da consciência, e praticamos a crueldade para com os nossos próprios animais. Essa é a esfera da nossa formação mais prolongada, talvez da nossa proeza artística, em todo o caso do nosso diletantismo e do nosso gosto perverso. Há demasiado tempo que o homem considera as suas proclividades naturais com um "mau-olhado", de modo que eventualmente se tornaram no seu sistema filiados a uma má consciência. Um esforço inverso seria intrinsecamente viável — mas quem é suficientemente forte para o tentar? — namicamente, para se filiar à "má consciência" todas essas inclinações não naturais, todas essas aspirações transcendentais, contrárias ao sentido, instinto, natureza e animalismo — em suma, todos os ideais passados e presentes, que são todos ideais opostos à vida, e que comerciam com o mundo. A quem nos devemos dirigir hoje em dia com tais esperanças e pretensões? — São apenas os homens bons que devemos assim trazer aos nossos ouvidos; e, além disso, como está a raciocinar, os indolentes, os sebes, os vaidosos, os histéricos, os cansados.... O que é mais ofensivo ou mais bem calculado para alienar, do que dar qualquer pista da exaltada severidade com que nos tratamos? E mais uma vez, como conciliador, como cheio de amor se mostra todo o mundo em relação a nós tão logo o façamos como todos os documentos mundiais, e "deixemo-nos ir" como todo o mundo. Para uma tal consumação precisamos de espíritos de calibre diferente do que parece realmente viável nesta era; espíritos tornados potentes através de guerras e vitórias, aos quais a conquista, a aventura, o perigo, até mesmo a dor, se tornaram uma necessidade; para uma tal consumação precisamos de habituação a ar aguçado e raro, a vaguear no inverno, a gelo e montanhas literais e metafóricas; precisamos mesmo de uma espécie de malícia sublime, a suprema e mais autoconsciente insolência do conhecimento, que é o apanágio da grande saúde; precisamos (para resumir a terrível verdade) apenas desta grande saúde!

Será isto sequer viável hoje em dia?... Mas algum dia, numa era mais forte do que esta podridão e introspectiva presente, terá ele de vir até nós, mesmo o redentor de um grande amor e desprezo, o espírito criativo, ressurgindo pelo ímpeto da sua própria força de volta para longe de cada plano e dimensão transcendental, aquele cuja solidão é mal compreendida (sic) do povo, como se fosse uma fuga da realidade; — enquanto que na realidade é apenas o seu mergulho, escavação e penetração na realidade, para que, quando voltar à luz, possa de imediato trazer a redenção desta realidade; a sua redenção da maldição que o velho ideal lhe impôs. Este homem do futuro, que neste sábio nos redimirá do velho ideal, assim como do corolário necessário desse ideal de grande náusea, vontade de nada, e Niilismo, este toque do meio-dia e do grande veredito, que torna a vontade novamente livre, que devolve ao mundo o seu objetivo e ao homem a sua esperança, este Anticristo e Antiniilista, este conquistador de Deus e de Nada — ele deve um dia vir.

25.

Mas de que estou eu a falar? Já chega! Suficiente? Neste momento só tenho um curso próprio, o silêncio: de outro modo, trespassa num domínio aberto sozinho a alguém que é mais jovem do que eu, mais forte, mais "futuro" do que eu, abre sozinho a Zaratustra, *Zaratustra, o sem Deus*.

TERCEIRA SESSÃO.

QUAL É O SIGNIFICADO DE IDEAIS ASCÉTICOS?

"Descuidado, zombador, enérgico — assim nos deseja a sabedoria: ela é uma mulher, e nunca ama ninguém a não ser uma guerreira".

Assim falou Zarathustra.

1.

Qual é o significado de ideais ascéticos? Nos artistas, nada ou demasiado, nos filósofos e estudiosos, uma espécie de "talento" e instinto para as condições mais favoráveis ao intelectualismo avançado, nas mulheres, na melhor das hipóteses, um fascínio sedutor adicional, um pouco de morbidez sobre um belo pedaço de carne, a angelitude de um animal gordo e bonito, nos fracassos fisiológicos e nos queixumes (na maioria dos mortais), uma tentativa de se fazer passar por "demasiado bom" para este mundo, uma santa forma de deboche, a sua arma principal na batalha com a dor e a persistência, nos padres, a verdadeira fé sacerdotal, o seu melhor motor de poder, e também a autoridade suprema do poder, nos santos, finalmente um pretexto para a hibernação, a sua novíssima glória cupido, a sua paz no nada ("Deus"), a sua forma de loucura.

Mas no próprio fato de o ideal ascético ter significado tanto para o homem, as mentiras exprimem a característica fundamental da vontade do homem, o seu horror vácuo: ele precisa de um objetivo — e mais cedo não haverá nada do que nada.

— Não compreendi? — Não fui compreendido? — "Certamente que não, senhor?" — Bem, comecemos pelo princípio.

2.

Qual é o significado de ideais ascéticos? Ou, para pegar num caso individual sobre o qual fui frequentemente consultado, qual é o significado, por exemplo, de um artista como Richard Wagner prestar homenagem à castidade na sua velhice? Ele sempre o tinha feito, claro, num certo sentido, mas não foi até ao fim, que o fez num sentido ascético. Qual é o significado desta "mudança de atitude", desta revolução radical na sua atitude — pois era isso que era? Wagner desviou-se assim diretamente para o seu próprio oposto. Qual é o significado de um artista se desviar para o seu próprio oposto? Neste ponto (dado que não nos importamos de parar um pouco sobre esta questão), recordamos imediatamente o melhor, mais forte, mais alegre, e mais ousado período, que talvez alguma vez tenha existido na vida de Wagner: esse foi o período, quando ele estava genuinamente e profundamente ocupado com a ideia do "Casamento de Lutero". Quem sabe que acaso é responsável por termos agora os *Meistersingers* em vez desta música de casamento? E quanto no último talvez seja apenas um eco do primeiro? Mas não há dúvida de que o tema teria tratado do elogio à castidade. E certamente também teria tratado do elogio da sensualidade, e mesmo assim, pareceria bastante em ordem, e mesmo assim, teria sido igualmente Wagneriano. Pois não há antítese necessária entre castidade e sensualidade: todo o bom casamento, todo o autêntico coração — o amor sentido transcende esta antítese. Wagner teria, parece-me, feito bem em trazer de novo esta agradável realidade para casa aos seus alemães, por meio de uma ousada e graciosa "Comédia de Lutero", pois havia e há entre os alemães muitos revivificadores da sensualidade; e talvez o maior mérito de Lutero resida apenas no facto de ter tido a coragem da sua sensualidade (costumava ser chamada, de forma bonita, "liberdade evangelística"). Mas mesmo nos casos em que essa antítese entre a castidade e a sensualidade existe, felizmente já há algum tempo que não há necessidade de ser, de forma alguma, uma antítese trágica. Este deveria ser, de qualquer forma, o caso de todos os seres que são sãos na mente e no corpo, que estão longe de considerar o seu delicado equilíbrio entre "animal" e "anjo", como sendo, à primeira vista, um dos princípios opostos à existência — os espíritos mais subtis e brilhantes, como Goethe, como Hafiz, viram mesmo nisto mais um encanto de vida. Tais "conflitos" atraem de fato a vida. Por outro lado, é apenas demasiado claro que quando estes porcos arruinados são reduzidos à adoração da castidade — e existem tais porcos — só veem e adoram nela a antítese para si próprios, a antítese para os porcos arruinados. Oh, que grunhido trágico e avidez! Basta pensar nisto — eles adoram aquele contraste doloroso e supérfluo, que Richard Wagner, nos seus últimos dias, sem dú-vida, desejava pôr ao som da música, e colocar no palco! "Com que propósito, sem dúvida?", como podemos razoavelmente perguntar. O que é que os porcos lhe importavam; o que é que eles nos importavam a nós?

3.

Neste momento, é impossível perguntar o que é que ele tinha realmente a ver com aquele caipira (ah, tão pouco masculino), aquele pobre diabo e natural, *Parsifal*, a quem acabou por fazer um católico através de tais dispositivos fraudulentos. O quê? Será que este *Parsifal* era realmente destinado a sério? Poder-se-ia ser tentado a supor o contrário, até mesmo a desejá-lo — que o Wagneriano Parsifal foi intencionado alegremente, como uma peça final de uma trilogia ou drama satírico, na qual Wagner, o trapezista, desejava despedir-se de nós, de si próprio, sobretudo da tragédia, e fazê-lo de uma forma que deveria ser bastante adequada e digna, ou seja, com um excesso da paródia mais extrema e flipante do próprio trágico, da terrível seriedade terrena e do infortúnio terreno do velho — uma paródia daquela fase mais grosseira do ideal ascético, que tinha sido largamente ultrapassado. Isso, como já disse, teria sido bastante digno de um grande traidor; que, como todo o artista, atinge primeiro o auge supremo da sua grandeza quando pode olhar para si próprio e para a sua arte, quando pode rir de si próprio. É *Parsifal* de Wagner o seu riso secreto de superioridade sobre si próprio, o triunfo dessa suprema liberdade artística e transcendência artística que ele alcançou longamente. Poderíamos, repito, desejar que assim fosse, pois o que pode Parsifal, levado a sério, equivaler a? Será realmente necessário ver nele (segundo uma expressão outrora utilizada contra mim) o produto de um ódio insano ao conhecimento, à mente e à carne? Uma maldição sobre a carne e o espírito num só sopro de ódio? Uma apostasia e uma reversão aos mórbidos ideais cristãos e obscurantistas? E finalmente uma autonegação e autoeliminação por parte de um artista, que até então tinha dedicado toda a força da sua vontade ao contrário, a saber, a mais alta expressão artística da alma e do corpo. E não só da sua arte, mas também da sua vida. Basta lembrar com que entusiasmo Wagner seguiu as pegadas de Feuerbach. O lema de Feuerbach de "sensualidade saudável" ressoou nos ouvidos de Wagner durante os anos trinta e quarenta do século, como o fez nos ouvidos de muitos alemães (apelidavam-se "Jovens Alemães"), como a palavra de redenção. Será que ele acabou por mudar de ideias sobre o assunto? Pois parece, de qualquer modo, que ele acabou por querer mudar o seu ensino sobre esse assunto... e não é só isso que acontece com as trombetas Parsifal no palco: na melancolia, cãibras e lucubrações embaraçosas dos seus últimos anos, há uma centena de lugares em que há manifestações de um desejo e vontade secretos, uma vontade desanimada, incerta, incerta, não confessada de pregar o retrocesso real, a conversão, o cristianismo, o medievalismo, e de dizer aos seus discípulos: "Tudo é vaidade! Procurai a salvação noutro lugar"! Até mesmo o "sangue do Redentor" é uma vez invocado.

4.

Deixem-me falar com toda a clareza num caso como este, que tem muitos elementos dolorosos — e é um caso típico: é certamente melhor separar um artista da sua obra de forma tão completa que ele não possa ser levado tão a sério como a sua obra. Afinal, ele é apenas o pressuposto da sua obra, o útero, o solo, em certos casos o esterco e o estrume, sobre o qual e a partir do qual cresce — e consequentemente, na maioria dos casos, algo que deve ser esquecido para que a obra em si possa ser apreciada. A percepção da origem de uma obra é um assunto para psicólogos e vivisseccionistas, mas nunca no presente ou no futuro para os æsthetes, os artistas. O autor e criador de Parsifal foi tão pouco poupado à necessidade de se afundar e viver nas terríveis profundezas e fundamentos dos contrastes de alma medievais, à necessidade de uma abstração maligna de toda a elevação intelectual, severidade e disciplina, à necessidade de uma espécie de perversidade mental (se o leitor me perdoar tal palavra), tão pouco como uma mulher grávida é poupada aos horrores e maravilhas da gravidez, que, como já disse, devem ser esquecidas para que a criança possa ser desfrutada. Temos de nos precaver contra a confusão em que o próprio artista cairia com demasiada facilidade (para empregar a terminologia inglesa) por "contiguidade" psicológica; como se o próprio artista fosse realmente o objeto que é capaz de representar, imaginar e exprimir. Na realidade, a posição é que mesmo que ele concebesse que fosse um objeto desse tipo, certamente não o representaria, conceberia, exprimiria. Homero não teria criado um Aquiles, nem Goethe um Fausto, se Homero tivesse sido um Aquiles ou se Goethe tivesse sido um Fausto. Um artista completo e perfeito está para toda a eternidade separado do "real", do real; por outro lado, será apreciado que ele pode por vezes cansar-se ao ponto de desespero desta eterna "irrealidade" e falsidade do seu ser mais íntimo — e que depois por vezes tenta invadir o terreno mais proibido, a realidade, e tenta ter uma existência real. Com que sucesso? O sucesso será adivinhado — é a típica aveludice do artista, a mesma aveludice a que Wagner caiu vítima na sua velhice, e pela qual ele teve de pagar tão cara e tão fatalmente (ele perdeu assim os seus amigos mais valiosos). Mas afinal, para além desta aveludice, quem não desejaria enfaticamente para bem de Wagner que ele se tivesse despedido de nós e da sua arte de uma maneira diferente, não com um Parsifal, mas num estilo mais vitorioso, mais autoconfiante, mais Wagneriano — um estilo menos enganoso, um estilo menos ambíguo em relação a todo o seu significado, menos Schopenhaueriano, menos Niilista?...

5.

Qual é, então, o significado de ideais ascéticos? No caso de um artista, estamos a começar a compreender o seu significado: Nada... ou tanto que seja tão bom quanto nada. De fato, qual é a sua utilidade? Os nossos artistas não assumiram durante muito tempo uma atitude suficientemente independente, nem no mundo nem contra ele, para justificar as suas valorizações e as mudanças nessas valorizações excitantes interesse. Em todos os momentos, eles têm desempenhado o papel de manobrista de alguma moralidade, filosofia, ou religião, para além do fato de, infelizmente, terem sido muitas vezes os cortesãos excessivamente flexíveis dos seus clientes e patronos, e os sapos inquisitivos dos poderes que existem, ou mesmo dos novos poderes que estão por vir. Para o colocar no mínimo, eles precisam sempre de uma muralha, um apoio, uma autoridade já constituídos: os artistas nunca se mantêm por si próprios, ficar sozinhos é oposto aos seus instintos mais profundos. Assim, por exemplo, Richard Wagner tomou, "quando chegou o momento", o filósofo Schopenhauer para o seu homem de cobertura na frente, para a sua muralha. Quem diria mesmo que ele teria tido a coragem de um ideal ascético, sem o apoio da filosofia de Schopenhauer, sem a autoridade de Schopenhauer, que dominou a Europa nos anos setenta? (Isto sem considerar a questão se um artista sem o leite de uma ortodoxia teria sido possível de todo). Isto leva-nos à questão mais séria: Qual é o significado de um verdadeiro filósofo a prestar homenagem ao ideal ascético, um intelecto realmente autossuficiente como Schopenhauer, um homem e cavaleiro com um olhar de bronze, que tem a coragem de ser ele próprio, que sabe estar sozinho sem primeiro esperar por homens que o cobrem na frente, e os acenos de cabeça dos seus superiores? Consideremos de imediato a notável atitude de Schopenhauer em relação à arte, uma atitude que tem mesmo um fascínio por certos tipos. Pois essa é obviamente a razão pela qual Richard Wagner foi de imediato a Schopenhauer (convencido disso, como se sabe, por um poeta, Herwegh), passou tão completamente que se seguiu a clivagem de uma completa contradição teórica entre a sua anterior e a sua posterior æsthetic faiths — a anterior, por exemplo, sendo expressa em Ópera e Drama, a posterior nos escritos que publicou a partir de 1870. Em particular, Wagner a partir dessa época (e esta é a reviravolta que mais nos afasta) não teve escrúpulos em mudar o seu juízo sobre o valor e a posição da própria música. Que lhe importava ele se até essa época ele tinha feito da música um meio, um meio, uma "mulher", que para prosperar precisava de um fim, um homem — isto é, o drama? De repente percebeu que mais poderia ser feito pela novidade da teoria Schopenhaueriana em *majorem mu*-

sicæ gloriam — isto é, através da soberania da música, como Schopenhauer a entendia, música abstraída e oposta a todas as outras artes, música como a arte em si mesma independente, não como as outras artes, proporcionando reflexões do mundo fenomenal, mas sim a própria linguagem da vontade, falando diretamente do "abismo" como a sua manifestação mais pessoal, original e direta. Este extraordinário aumento do valor da música (um aumento que parecia crescer fora da filosofia Schopenhaueriana) foi imediatamente acompanhado por um aumento sem precedentes na estimativa em que o próprio músico se encontrava: tornou-se agora um oráculo, um padre, não, mais do que um padre, uma espécie de porta-voz da "essência intrínseca das coisas", um telefone do outro mundo — daí em diante ele não falou apenas de música, este ventríloquo de Deus, falou metafísico; que maravilha que um dia ele acabou por falar de ideais ascéticos.

6.

Schopenhauer fez uso do tratamento kantiano do pro-blema estético — embora certamente não o tenha considerado com os olhos kantianos. Kant pensou que demonstrou honra à arte quando favoreceu e colocou em primeiro plano os predicados do belo, que constituem a honra do conhecimento: impessoalidade e universalidade. Este não é o lugar para discutir se isto não foi um erro completo; tudo o que desejo salientar é que Kant, tal como outros filósofos, em vez de considerar o pro-blema estético do ponto de vista das experiências do artista (o criador), apenas considerou a arte e a beleza do ponto de vista do espectador, e assim importou imperceptivelmente o próprio espectador para a ideia do "belo"! Mas se ao menos os filósofos do belo tivessem conhecimentos suficientes sobre este "espectador"! — O conhecimento dele como um grande fato de personalidade, como uma grande experiência, como uma riqueza de eventos fortes e mais individuais, desejos, surpresas e arrebatamento na esfera da beleza! Mas, como eu temia, o contrário sempre foi o caso. E assim obtemos dos nossos filósofos, desde o início, definições em que a falta de uma experiência pessoal mais sutil se agacha como um verme gordo de erro crasso, como acontece com a famosa definição de Kant do belo. "Isso é belo", diz Kant, "o que agrada sem interesse". Sem interesse! Compare esta definição com esta outra, feita por um verdadeiro "espectador" e "artista" — por Stendhal, que em tempos chamou à bela *une promesse de bonheur*. Aqui, em todo o caso, o único ponto que Kant faz proeminente na posição estética é repudiado e eliminado — *le désintéressement*. Quem está certo, Kant ou Stendhal? Quando, para além disso, os nossos æsthetes nunca se cansam de atirar para a balança a favor de Kant o fato de que sob a magia da beleza os homens podem olhar mesmo para estátuas femininas nuas "sem interesse", podemos certamente rir um pouco às suas custas: — em relação a este ponto delicado as experiências dos artistas são mais "interessantes", e de qualquer modo *Pygmalion* não era necessariamente um "homem não-estético". Pensemos tanto melhor na inocência dos nossos æsthetes, refletida como está em tais argumentos; contemos, por exemplo, para a honra de Kant o país... *parson naïveté* da sua doutrina sobre o carácter peculiar do sentido do tacto! E aqui voltamos a Schopenhauer, que estava muito mais próximo das artes do que Kant, e, no entanto, nunca escapou à palidez da definição kantiana; como foi isso? A circunstância é suficientemente maravilhosa: ele interpreta a expressão, "sem interesse", da forma mais pessoal, a partir de uma experiência que no seu caso deve ter sido parte integrante da sua rotina regular. Sobre poucos assuntos Schopenhauer fala com tanta certeza como sobre o trabalho da contemplação estética: diz dele que simplesmente contraria o interesse sexual, como a lupulina e a cânfora; nunca se cansa de glorificar esta fuga do "Vontade de Vida" como a grande vantagem e utilidade do estado estético. De fato, somos tentados a perguntar se a sua concepção fundamental de Vontade e Ideia, o pensamento de que só pode existir liberdade da "vontade" através da "ideia", não teve origem numa genera-lização desta experiência sexual. (Em todas as questões relativas à filosofia Schopenhaueriana, nunca se deve perder de vista a consideração de que é a concepção de um jovem de vinte e seis anos, para que participe não só no que é peculiar à vida de Schopenhauer, mas também no que é peculiar a esse período especial da sua vida). Escutemos, por exemplo, uma das mais expressivas entre as inúmeras passagens que ele escreveu em honra do estado ético (Mundo como Vontade e Ideia, i. 231); escutemos o tom, o sofrimento, a felicidade, a gratidão, com que tais palavras são pronunciadas: "Este é o estado indolor que Epicuro elogiou como o bem mais elevado e como o estado dos deuses; estamos nesse momento livres da pressão vil da vontade, celebramos o Sábado do trabalho duro da vontade, a roda de Ixion fica parada". Que veemência de linguagem! Que imagens de angústia e de prolongada repulsa! Como é quase patológica aquela antítese temporal entre "aquele momento" e tudo o resto, a "roda da Exílio", "o trabalho árduo da vontade", "a pressão vil da vontade". Mas dado que Schopenhauer foi cem vezes correto para si próprio pessoalmente, como é que isso ajuda a nossa visão sobre a natureza do belo? Schopenhauer descreveu um efeito do belo, — o acalmar da vontade,- mas será este efeito realmente normal? Como foi mencionado, Stendhal, uma natureza igualmente sensual, mas mais feliz do que Schopenhauer, dá proeminência a outro efeito do "belo". "A bela promete felicidade". Para ele, é apenas a excitação da "vontade" (o "interesse") pela beleza que parece ser o facto essencial. E não é Schopenhauer que acaba por se expor à objeção, que está completamente errado ao considerar-se como kantiano neste ponto, que não compreendeu em absoluto, num sentido kantiano, a definição kantiana do belo —; que o belo também o agradou por meio de um interesse, de fato, do interesse mais forte e mais pessoal de todos, que: da vítima de tortura que escapa à sua tortura? — E para voltar à nossa primeira pergunta, "Qual é o significado de um filósofo prestar homenagem a ideais ascéticos"? Recebemos agora, em todo o caso, uma primeira dica; ele deseja escapar a uma tortura.

7.

Tenhamos cuidado em fazer caras tristes com a palavra "tortura" — neste caso é certamente suficiente para deduzir, suficiente para descontar — há mesmo algo de que nós podemos rir. Pois não devemos certamente subestimar o fato de Schopenhauer, que na prática tratava a sexualidade como um inimigo pessoal (incluindo a sua ferramenta, a mulher, esse "instrumentum diaboli"), precisava de inimigos para o manter de bom humor, que ele amava palavras sombrias, amargas, verde-escuro, que ele se enfurecia por causa da raiva, por paixão; que ele teria adoecido, ter-se-ia tornado um pessimista (pois ele não era pessimista, por muito que desejasse ser), sem os seus inimigos, sem Hegel, mulher, sensualidade, e toda a "vontade de existir" "continuar". "Sem eles Schopenhauer não teria "continuado", o que é uma aposta segura; ele teria fugido: mas os seus inimigos mantinham-no preso, os seus inimigos sempre o atraíram de novo à existência, a sua ira era tal como a deles era para os antigos cínicos, o seu bálsamo, a sua recreação, a sua recompensa, o seu remédio contra o desgosto, a sua felicidade. Tanto em relação ao que é mais pessoal no caso de Schopenhauer; por outro lado, ainda há muito que é típico nele — e só agora voltamos ao nosso problema. É um fato aceite e indiscutível, enquanto houver filósofos no mundo e onde quer que existam filósofos (da Índia à Inglaterra, para tomar os polos opostos da capacidade filosófica), que existe uma verdadeira irritação e rancor por parte dos filósofos para com a sensualidade. Schopenhauer é apenas o mais eloquente, e se se tem ouvidos para isso, também o mais fascinante e encantador surto. Existe igualmente um verdadeiro preconceito filosófico e afeto por todo o ideal ascético; não deve haver ilusões a este respeito. Ambos estes sentimentos, como já foi dito, pertencem ao tipo; se a um filósofo faltam os dois, então ele é — talvez tenha a certeza — de que não é nada mais do que um "pseudo". O que é que isto significa? Pois este estado de coisas deve ser, primeiro, interpretado: em si mesmo é estúpido, para toda a eternidade, como qualquer "Coisa em si". Cada animal, incluindo *la bête philosophe*, esforça-se instintivamente após um ótimo de condições favoráveis, sob as quais pode deixar jogar toda a sua força, e alcança a sua consciência máxima de poder; com igual instinto, e com um fino toque perceptivo que é superior a qualquer razão, todo o animal estremece mortalmente em qualquer tipo de perturbação e impedimento que obstrua ou possa obstruir o seu caminho para esse ótimo (não é o seu caminho para a felicidade de que falo, mas o seu caminho para o poder, para a ação, a ação mais poderosa, e, na verdade, em muitos casos, o seu caminho para a infelicidade). Do mesmo modo, o filósofo estremece mortalmente no casamento, juntamente com tudo o que o poderia persuadir a fazê-lo — o casamento como um obstáculo fatal no caminho para o ótimo. Até ao presente, que grandes filósofos se casaram? Heracleito, Platão, Descartes, Spinoza, Leibnitz, Kant, Schopenhauer — eles não eram casados, e, além disso, não se pode imaginá-los como casados. Um filósofo casado pertence à comédia, essa é a minha regra; quanto àquela exceção de um Sócrates — o malicioso Sócrates casou ele próprio, parece, ironia, apenas para provar esta mesma regra. Qualquer filósofo diria, como Buda disse, quando o nascimento de um filho lhe foi anunciado: "Râhoula nasceu para mim, um grilho foi forjado para mim" (Râhoula significa aqui "um pequeno demônio"); deve vir uma hora de reflexão para cada "espírito livre" (dado que ele teve anteriormente uma hora de irrefletibilidade), tal como se veio uma vez para o mesmo Buda: "Estreitamente apertado", refletiu ele, "é a vida na casa; é um lugar de impureza; a liberdade é encontrada ao deixar a casa". Porque ele pensou assim, deixou a casa. Tantas pontes para a independência são mostradas na ideia ascética, que o filósofo não pode abster-se de exultar e bater palmas quando ouve a história de todos aqueles resolutos, que um dia proferiram um não a toda a servidão e foram para algum deserto; mesmo concedendo que eram apenas rabos fortes, e o oposto absoluto de mentes fortes. O que significa, então, o ideal ascético num filósofo? Esta é a minha resposta — já terá sido adivinhada há muito tempo: quando vê este ideal, o filósofo sorri porque veem nele um ótimo das condições da mais alta e ousada intelectualidade; não nega assim a "existência", mas afirma assim a sua existência e apenas a sua existência, e isto talvez ao ponto de não estar longe do desejo blasfemo, *pereat mundus, fiat philosophia, fiat philosophus, fiam!*

8.

Estes filósofos não são de modo algum testemunhas e juízes incorruptos do valor do ideal ascético. Eles pensam em si próprios — o que é o "santo" para eles? Pensam naquilo que para eles é pessoalmente mais indispensável; da ausência de compulsão, perturbação, barulho: liberdade dos negócios, dos deveres, dos cuidados; da cabeça clara; da dança, da primavera e do voo dos pensamentos; do bom ar raro, claro, livre, seco, como é o ar nas alturas, no qual cada animal se torna mais intelectual e ganha asas; pensam na paz em cada adega; todos os cães de caça acorrentados; nenhum lance de inimizade e rancor rude; nenhum remorso de ambição ferida; órgãos internos silenciosos e submissos, ocupados como moinhos, mas despercebidos; o coração alienígena, transcendente, futuro, póstumo — para resumir, significam pelo ideal ascético o ascetismo alegre de um animal deificado e acabado de voar, varrendo a vida em vez de descansar. Sabemos quais são as três grandes palavras de captura do ideal ascético: pobreza, humildade, castidade; e agora basta olhar atentamente para a vida de todos os grandes espíritos inventivos fecundos — encontrará sempre de novo e de novo estas três qualidades até um certo ponto. Nem por um minuto, como é evidente, como se, por acaso, fizessem parte das suas virtudes — o que tem este tipo de homem a ver com virtudes? — mas como as condições mais essenciais e naturais da sua melhor existência, a sua melhor fecundidade. A este respeito, ele é bem possível que o seu intelectualismo predominante tivesse primeiro de refrear um orgulho indisciplinado e irritável, ou um sensualismo insolente, ou que tivesse todo o seu trabalho cortado para manter o seu desejo de "deserto" contra talvez uma inclinação para o luxo e o diletantismo, ou similarmente contra uma liberalidade extravagante de coração e mão. Mas o seu intelecto fez tudo isto, simplesmente porque era o instinto dominante, que executava as suas ordens no caso de todos os outros instintos. Ainda o afeta; se deixasse de o fazer, simplesmente não seria dominante. Mas não há um único iota de "virtude" em tudo isto. Além disso, o deserto, do qual acabei de falar, no qual os espíritos fortes, independentes e bem equipados se retiram para o seu ermitão — oh, como é diferente do sonho das classes cultas de um deserto! Em certos casos, de fato, as próprias classes cultas são o deserto. E é certo que todos os atores do intelecto não suportariam este deserto por um minuto. Nada é suficientemente romântico e sírio para eles, nada é suficientemente deserto de palco! Também aqui há muitos rabos, mas neste ponto a semelhança cessa. Mas um deserto hoje em dia é algo assim — talvez uma obscuridade deliberada; uma saída do caminho de si próprio; um medo do barulho, da admiração, dos papéis, da influência; um pequeno escritório, uma tarefa diária, algo que esconde em vez de trazer à luz; por vezes associando-se a bestas e aves inofensivas e alegres, cuja vista refresca; uma montanha para companhia, mas não uma morta, uma com olhos (isto é, com lagos); em certos casos até mesmo um quarto num hotel apinhado, onde se pode contar não ser reconhecido, e poder falar impunemente com todos: aqui está o deserto — oh, já é suficientemente solitário, acreditem! Admito que quando Herácleito se retirou para os tribunais e claustros do colossal templo de Artemis, aquele "deserto" valia mais; porque é que nos faltam tais templos? (Por acaso, não nos faltam: Penso apenas no meu esplêndido estudo na Piazza di San Marco, na Primavera, claro, e de manhã, entre as dez e as doze). Mas aquilo que Herácleito evitou ainda é apenas o que nós também evitamos hoje em dia: o barulho e o balbuciar democrático dos Efésios, a sua política, as suas notícias do "império" (quero dizer, claro, a Pérsia), o seu comércio de mercado nas "coisas do dia-a-dia" — pois há uma coisa da qual nós filósofos precisamos especialmente de um descanso — das coisas do "dia-a-dia". Honramos o silêncio, o frio, o nobre, o longínquo, o passado, tudo, de fato, à vista do qual a alma não está obrigada a apoiar-se e a defender-se — algo com que se pode falar sem falar em voz alta. Basta ouvir agora o tom que um espírito tem quando fala; cada espírito tem o seu próprio tom e ama o seu próprio tom. Aquela coisa ali, por exemplo, está destinada a ser um agitador, ou seja, uma cabeça oca, uma caneca oca: o que quer que lhe vá dentro, tudo volta dele aborrecido e espesso, pesado com o eco do grande vazio. Aquele espírito ali quase sempre fala rouco: será que ele, por acaso, se achou rouco? Pode ser tão fácil para os fisiologistas — mas aquele que pensa com palavras, pensa como um orador e não como um pensador (mostra que ele não pensa em objetos ou pensa objetivamente, mas apenas das suas relações com os objetos — que, na realidade, só pensa em si próprio e no seu público). Este terceiro fala agressivamente, aproxima-se demasiado do nosso corpo, a sua respiração sopra sobre nós — fechamos involuntariamente a boca, embora ele nos fale através de um livro: o tom do seu estilo fornece a razão — ele não tem tempo, tem pouca fé em si próprio, encontra expressão agora ou nunca. Mas um espírito seguro de si mesmo fala baixinho; procura o segredo, deixa-se esperar, um filósofo é reconhecido pelo fato de evitar três coisas brilhantes e ruidosas

— a fama, os príncipes e as mulheres: o que não quer dizer que elas não venham ter com ele. Ele foge de toda a luz ofuscante: por isso foge do seu tempo e da sua "luz do dia". Ali está ele como uma sombra; quanto mais profundo mergulha o sol, maior cresce a sombra. Quanto à sua humildade, suporta, ao mesmo tempo que suporta a escuridão, uma certa dependência e obscuridade: além disso, tem medo do choque dos raios, estremece com a insegurança de uma árvore demasiado isolada e demasiado exposta, sobre a qual cada tempestade descarrega o seu temperamento, cada tempestade. O seu instinto "maternal", o seu amor secreto por aquilo que cresce nele, guia-o para estados onde é aliviado da necessidade de cuidar de si próprio, da mesma forma que o instinto "mãe" na mulher se manteve completamente até à atual posição dependente da mulher. Afinal, eles exigem pouco, fazem estes filósofos, o seu lema favorito é: "Aquele que possui está possuído". Tudo isto não é, como devo dizer repetidamente, para ser atribuído a uma virtude, a um desejo meritório de moderação e simplicidade; mas porque o seu senhor supremo assim o exige, exige sábia e inexoravelmente; o seu senhor que só anseia por uma coisa, para a qual só ele reúne, e para a qual só ele acumula tudo — tempo, força, amor, interesse. Este tipo de homem gosta de não ser perturbado pela inimizade, ele gosta de não ser perturbado pela amizade, é um tipo que esquece ou despreza facilmente. Parece-lhe má forma interpretar o mártir, "sofrer pela verdade" — ele deixa tudo isso aos ambiciosos e aos heróis de palco do intelecto, e a todos aqueles, de fato, que têm tempo suficiente para tais luxos (eles próprios, os filósofos, têm algo a fazer pela verdade). Fazem um uso poupado de grandes palavras; diz-se que são adversos à própria palavra "verdade": soa grandiloquente. Finalmente, no que diz respeito à castidade dos filósofos, a fecundidade deste tipo de mente está manifestamente noutra esfera que não a das crianças; por acaso, também noutra esfera, eles têm a sobrevivência do seu nome, a sua pequena imortalidade (os filósofos na Índia antiga expressar-se-iam com ainda maior ousadia: "De que serve a posteridade para aquele cuja alma é o mundo?"). Nesta atitude não há um vestígio de castidade, por causa de qualquer escrúpulo ascético ou ódio à carne, assim como não é castidade um atleta ou um jockey abster-se de mulheres; é antes a vontade do instinto dominante, pelo menos durante o período da sua avançada gravidez filosófica. Todos os artistas conhecem os danos causados pelas relações sexuais em ocasiões de grande tensão mental e preparação; tanto quanto os artistas mais fortes e aqueles com instintos mais seguros, este não é necessariamente um caso de experiência — experiência dura — mas é simplesmente o seu instinto "maternal" que, a fim de beneficiar o trabalho em crescimento, dispõe imprudentemente (para além de todos os seus suprimentos e fornecimentos normais) do vigor da sua vida animal; quanto maior for o poder, menor será a absorção. Apliquemos agora esta interpretação para avaliar corretamente o caso de Schopenhauer, que já mencionamos: no seu caso, a visão do belo agiu manifestamente como um irritante resoluto sobre o poder principal da sua natureza (o poder de contemplação e de penetração intensa); de modo que esta força explodiu e tornou-se subitamente mestre da sua consciência. Mas isto não exclui de modo algum a possibilidade daquela doçura e plenitude particular, que é peculiar ao estado estético, brotando diretamente do ingrediente da sensualidade (tal como aquele "idealismo" que é peculiar às meninas na puberdade tem origem na mesma fonte) — pode ser, consequentemente, que a sensualidade não seja removida pela abordagem do estado estético, como Schopenhauer acreditava, mas meramente transfigurada, e deixa de entrar na consciência como excitação sexual. (Voltarei mais uma vez a este ponto em relação aos problemas mais delicados da fisiologia do æsthetic, um assunto que até ao presente tem sido singularmente intocado e não elucidado).

9.

Um certo ascetismo, uma renúncia totalmente homossexual, é, como vimos, uma das condições mais favoráveis para o intelectualismo mais elevado, e, consequentemente, para os corolários mais naturais de tal intelectualismo: seremos portanto a prova contra qualquer surpresa para os filósofos em particular, tratando sempre o ideal ascético com uma certa predileção. Uma investigação histórica séria mostra a ligação entre o ideal ascético e a filosofia a ser ainda muito mais estreita e ainda muito mais forte. Pode dizer-se que foi apenas nos fios condutores deste ideal que a filosofia aprendeu realmente a dar os seus primeiros passos e passos de bebê — infelizmente como desajeitadamente, infelizmente de forma cruzada, infelizmente como pronto a cair e deitar-se de barriga para baixo era este queridinho tímido de um pirralho com as suas pernas de barriga para baixo! A história inicial da filosofia é como a de todas as coisas boas; — durante muito tempo não tiveram a coragem de serem eles próprios, continuaram sempre a olhar em volta para ver se ninguém os ajudava; além disso, tinham medo de todos os que olhavam para eles. Basta enumerar por ordem as tendências e virtudes particulares do filósofo — a sua tendência para duvidar, a sua tendência para negar, a sua tendência para esperar (para ser "efético"), a sua tendência para analisar, procurar, explorar, ousar, a sua tendência para comparar e igualizar, a sua vontade de ser neutro e objetivo, a sua vontade para tudo o que é *"sine ira et studio"*: — já se apercebeu que durante um período bastante longo estas tendências contrariaram as primeiras alegações de moralidade e consciência? (Para não dizer nada da razão, que até Lutero escolheu chamar *Frau Klüglin*, a puta manhosa). Será que foi ainda apreciado que um filósofo, no caso de chegar à autoconsciência, deve sentir-se um *"nitimur in vetitum"* encarnado — e consequentemente proteger-se contra "as suas próprias sensações", contra a autoconsciência? É, repito, o mesmo com todas as coisas boas, de que agora nos orgulhamos; mesmo julgado pelo padrão dos antigos gregos, toda a nossa vida moderna, na medida em que não é fraqueza, mas poder e consciência de poder, parece puro "Híbris" e impiedade: pois as coisas que são o inverso daquelas que honramos hoje em dia, tiveram durante muito tempo a consciência do seu lado, e Deus como seu guardião. "Híbris" é toda a nossa atitude perante a natureza nos dias de hoje, a nossa violação da natureza com a ajuda de maquinaria, e todo o engenho sem escrúpulos dos nossos cientistas e engenheiros. "Híbris" é a nossa atitude para com Deus, ou seja, para com alguma alegada aranha teleológica e ética por trás das malhas da grande armadilha da teia causal. Como Carlos, o Temerário na sua guerra com Luís o Onze, podemos dizer: *"je combates l'universelle araignée"*; "Híbris" é a nossa atitude para conosco próprios — pois experimentamos conosco próprios de uma forma que não permitiríamos com nenhum animal, e com prazer e curiosidade abrimos a nossa alma no nosso corpo vivo: o que nos importa agora a "salvação" da alma? Depois curamo-nos a nós próprios: estar doente é instrutivo, duvidamos que não, ainda mais instrutivo do que ser bem-inoculador de doenças parece-nos hoje ainda mais necessário do que qualquer médico e "salvadores". Não há dúvida de que hoje em dia fazemos violência a nós próprios, nós, os que estalamos o miolo da alma, encarnamos enigmas, que alguma vez nos fazem enigmas, como se a vida não fosse mais do que o rachar de uma noz; e mesmo assim temos necessariamente de nos tornar, dia após dia, cada vez mais dignos de ser interrogados e dignos de os fazer, mesmo assim será que por acaso também nos tornamos mais dignos de viver? ...Todas as coisas boas foram em tempos coisas más; de cada pecado original cresceu uma virtude original. O casamento, por exemplo, pareceu durante muito tempo um pecado contra os direitos da comunidade; um homem pagou anteriormente uma multa pela insolência de reclamar uma mulher para si mesmo (a esta fase pertence, por exemplo, *o jus primæ noctis*, ainda hoje no Camboja o privilégio do padre, aquele guardião dos "bons velhos costumes").

Os sentimentos suaves, benevolentes, cedentes, simpáticos — tão altamente valorizados, que quase se tornaram "valores intrínsecos", foram durante muito tempo efetivamente desprezados pelos seus possuidores: a doçura era então um tema de vergonha, tal como a dureza é agora (compare Beyond Good and Evil, Aph. 260). A submissão à lei: oh, com que escrúpulos de consciência foi que as raças nobres de todo o mundo renunciaram à vingança e deram à lei poder sobre si próprias! A lei foi durante muito tempo um veto, uma blasfêmia, uma inovação; foi introduzida com força, como uma força, à qual os homens só se submeteram com um sentimento de vergonha pessoal. Cada pequeno passo em frente no mundo foi outrora dado à custa de tortura mental e física. Hoje em dia, todo este ponto de vista — "que não só dar um passo em frente, não, não dar qualquer passo em frente, movimento", mudar, todos precisavam dos seus incontáveis mártires", toca nos nossos ouvidos de forma bastante estranha. Apresentei-o no amanhecer do dia, Aph. 18. "Nada se compra mais caro", diz o mesmo livro um pouco mais tarde, "do que o *modicum* da razão humana e da liberdade que é agora o nosso orgulho. Mas esse orgulho é a razão pela qual é agora quase impossível para nós sentirmo-nos em simpatia com esses imensos períodos da 'Moralidade do costume', que se encontram no início da 'história do mundo', constituindo como eles o verdadeiro princípio histórico decisivo que fixou o caráter da humanidade; esses períodos, repito, quando em todo o mundo o sofrimento passou pela virtude, a crueldade pela virtude, o engano pela virtude, a vingança pela virtude, o repúdio pela razão da virtude; e quando, pelo contrário, o bem-estar passou corrente pelo perigo, o desejo de conhecimento pelo perigo, a pena pelo perigo, a paz pelo perigo, a pena pela vergonha, o trabalho pela vergonha, a loucura pela divindade, a mudança pela imoralidade e a corrupção encarnada!"

10.

Há no mesmo livro, Aph. 12, uma explicação do peso da impopularidade sob a qual a mais antiga raça de homens contemplativos teve de viver — desprezada quase tão amplamente como se temia inicialmente! A contemplação apareceu pela primeira vez na terra de forma disfarçada, de forma ambígua, com um coração maligno e muitas vezes com uma cabeça inquieta: não há qualquer dúvida sobre isso. O elemento inativo, inquietante, pouco aliciante nos instintos dos homens contemplativos investiu-os durante muito tempo com uma nuvem de suspeitas: a única forma de combater isto era excitar um medo definido. E os antigos brâmanes, por exemplo, sabiam muito bem como fazer isto! Os filósofos mais antigos eram bem versados em dar à sua própria existência e aparência, significado, firmeza, antecedentes, por razão de que os homens aprenderam a temê-los; considerados mais precisamente, fizeram-no a partir de uma necessidade ainda mais fundamental, a necessidade de inspirar em si mesmos o medo e a auto reverência. Pois encontraram mesmo nas suas próprias almas todas as valorizações voltadas contra si próprios; tiveram de lutar contra todo o tipo de suspeitas e antagonismos contra "o elemento filosófico em si próprio". Sendo homens de uma época terrível, fizeram-no com meios terríveis: crueldade para consigo próprios, auto mortificação engenhosa — este era o principal método destes ambiciosos eremitas e revolucionários intelectuais, que eram obrigados a derrubar os deuses e as tradições da sua própria alma, de modo a permitir-se acreditar na sua própria revolução. Lembro-me da famosa história do Rei Vicvamitra, que, como resultado de mil anos de automartírio, alcançou uma tal consciência de poder e uma tal confiança em si próprio que se comprometeu a construir um novo céu: o símbolo sinistro da mais antiga e mais recente história da filosofia em todo o mundo. Cada um que alguma vez construiu em qualquer lugar um "novo céu" encontrou primeiro o seu poder no seu próprio inferno.... Vamos comprimir os fatos numa fórmula curta. O espírito filosófico tinha, para ser possível em qualquer medida, disfarçar-se e disfarçar-se como um dos tipos previamente fixados do homem contemplativo, disfarçar-se de sacerdote, feiticeiro, adivinho, como um homem religioso em geral: o ideal ascético serviu durante muito tempo ao filósofo como uma forma superficial, como uma condição que lhe permitiu existir.... Para poder ser filósofo, tinha de exemplificar o ideal; para o exemplificar, era obrigado a acreditar nele. A abstração peculiarmente etérea dos filósofos, com a sua negação do mundo, a sua inimizade à vida, a sua descrença nos sentidos, que se tem mantido até à mais recente época, e que quase chegou assim a ser aceite como a atitude filosófica ideal — esta abstração é o resultado daquelas condições forçadas sob as quais a filosofia veio à existência, e continuou a existir; na medida em que durante muito tempo a filosofia teria sido absolutamente impossível no mundo sem um manto e vestuário ascético, sem um auto entendimento ascético. Expresso de forma clara e palpável, o padre ascético tomou a forma repulsiva e sinistra da lagarta, sob a qual e por detrás da qual a filosofia, por si só, poderia viver e deslizar sobre.... Será que tudo isso mudou realmente? Terá essa criatura *flambojante* e perigosa, esse "espírito" que essa lagarta escondeu dentro de si mesma, será que, digo eu, graças a um mundo mais solarengo, mais quente, mais leve, realmente e finalmente atirou do seu capuz e escapou para a luz? Poderemos nós hoje apontar para o orgulho suficiente, ousadia suficiente, coragem suficiente, autoconfiança suficiente, vontade mental suficiente, vontade suficiente para a responsabilidade, liberdade suficiente da vontade, para permitir ao filósofo estar agora no mundo realmente possível?

11.

E agora, depois de termos avistado o padre ascético, enfrentemos o nosso problema. Qual é o significado do ideal ascético? Agora torna-se primeiro sério, vitalmente sério. Somos agora confrontados com os verdadeiros representantes dos sérios. "Qual é o significado de toda a seriedade?" Esta questão ainda mais radical já está por acaso na ponta da nossa língua:

uma questão, justa, para os fisiologistas, mas que nós por enquanto ignoramos. Nesse ideal, o padre ascético encontra não só a sua fé, mas também a sua vontade, o seu poder, o seu interesse. O seu direito à existência mantém-se e cai com esse ideal. Que maravilha que aqui nos deparemos com um adversário terrível (supondo, claro, que somos os adversários desse ideal), um adversário que luta pela sua vida contra aqueles que repudiam esse ideal! Por outro lado, é, desde o início, improvável que uma tal atitude tendenciosa em relação ao nosso problema lhe fará qualquer bem particular; o próprio padre ascético dificilmente provará ser o mais feliz defensor do seu próprio ideal (sobre o mesmo princípio em que uma mulher normalmente falha quando deseja defender a "mulher") — o que só por si provará ser o crítico e juiz mais objetivo da controvérsia agora levantada. Teremos, pois, de o ajudar a defender-se devidamente de nós próprios, do que teremos de recear ser demasiado bem vencidos por ele. A ideia, que é o objeto desta disputa, é o valor da nossa vida a partir do ponto de vista dos padres ascéticos: esta vida, então (juntamente com a totalidade da qual faz parte, "Natureza", "o mundo", toda a esfera do devir e da morte), é por eles colocada em relação a uma existência de um caráter completamente diferente, que exclui e à qual se opõe, a menos que negue o seu próprio eu: neste caso, o caso de uma vida ascética, a vida é tomada como uma ponte para uma outra existência. O ascético trata a vida como um labirinto, no qual se deve andar para trás até chegar ao local onde ela começa; ou trata-a como um erro que se pode, não se deve, refutar por ação: pois exige que seja seguida; impõe, onde pode, a sua valorização da existência. O que é que isto significa? Uma avaliação tão monstruosa não é um caso excepcional, nem uma curiosidade registada na história da humanidade: é um dos fatos mais gerais e persistentes que existem. A leitura a partir da perspectiva de uma estrela distante das letras maiúsculas da nossa vida terrena, levaria a concluir que a Terra era o planeta especialmente ascético, um antro de criaturas descontentes, arrogantes e repulsivas, que nunca se livraram de um desgosto profundo de si próprios, do mundo, de toda a vida, e que se magoaram tanto quanto possível por prazer em magoar — presumivelmente o seu primeiro e único prazer. Consideremos com que regularidade, como universalmente, como praticamente em cada período o padre ascético coloca na sua aparência: não pertence a nenhuma raça em particular; prospera em toda a parte; cresce fora de todas as classes. Não que talvez tenha criado esta valorização por hereditariedade e a tenha propagado — o contrário é o caso. Deve ser uma necessidade da primeira ordem que faz com que esta espécie, hostil, como é, à vida, cresça sempre de novo e prospere sempre de novo. — A própria vida deve certamente ter interesse na continuação de tal tipo de autocontradição. Pois uma vida ascética é uma autocontradição: aqui rege o ressentimento sem paralelo, o ressentimento de um instinto e ambição insaciável, que seria mestre, não sobre algum elemento da vida, mas sobre a própria vida, sobre as condições mais profundas, mais fortes, mais íntimas da vida; aqui é uma tentativa de utilizar o poder para barrar as fontes de poder; aqui o olho verde do ciúme vira-se mesmo contra o bem-estar fisiológico, especialmente contra a expressão de tal bem-estar, beleza, alegria; enquanto o sentimento de prazer é experimentado e procurado no aborto, na decadência, na dor, na desgraça, na fealdade, no castigo voluntário, no exercício, na flagelação e no sacrifício do eu. Tudo isto é no mais alto grau paradoxal: estamos aqui confrontados com uma fenda que se quer ser uma fenda, que goza a si mesma neste mesmo sofrimento, e até se torna cada vez mais segura de si mesma, cada vez mais triunfante, na proporção em que o seu próprio pressuposto, vitalidade fisiológica, diminui. "O triunfo apenas na agonia suprema": sob este extravagante emblema fez a ascética luta ideal de outrora; neste mistério de sedução, neste quadro de arrebatamento e tortura, reconheceu a sua luz mais brilhante, a sua salvação, a sua vitória final. *Crux, nux, lux* — tem todos estes três em um.

12.

Admito que uma tal vontade encarnada de contradição e desnaturalidade é induzida à filosofia; sobre o que irá ventilar o seu capricho de estimação? Sobre aquilo que foi sentido com a maior certeza de ser verdade, de ser real; procurará o erro precisamente naqueles lugares onde o instinto de vida fixa a verdade com a maior positividade. Por exemplo, a seguir ao exemplo dos ascetas da Filosofia Vedanta, reduzirá a matéria a uma ilusão, e de forma semelhante tratará a dor, a multiplicidade, todo o contraste lógico de "Sujeito" e "Objeto" — erros, nada mais que erros! Renunciar à crença no próprio ego, negar a si próprio a própria "realidade" — o que é um triunfo! e aqui já temos um tipo de triunfo muito maior, que não é um mero triunfo sobre os sentidos, sobre o palpável, mas um influxo de violência e crueldade sobre a razão; e este êxtase culmina no asséptico autocontentamento, no escárnio ascético da própria razão fazendo este decreto: há um domínio da verdade e da vida, mas a razão é especialmente excluída daí... Pelo adeus, mesmo na ideia kantiana de "o caráter inteligível das coisas" permanece um vestígio desse cisma, tão caro ao coração do asceta, esse cisma que gosta de virar a razão contra a razão; de fato, "caráter inteligível" significa em Kant uma espécie de qualidade em coisas de que o intelecto compreende tanto, que para ele, o intelecto, é absolutamente incompreensível. Afinal, no nosso caráter de conhecedores, não sejamos ingratos para com tais inversões determinadas das perspectivas e valores comuns, com as quais a mente há demasiado tempo que se tem vindo a opor com um sacrilégio aparentemente fútil! Da mesma forma, a própria visão de outra visão, o próprio desejo de ver outra visão, não é pouco treino e preparação do intelecto para a sua eterna "Objetividade" — sendo a objetividade entendida não como "contemplação sem interesse" (pois isso é inconcebível e não sensorial), mas como a capacidade de ter os prós e os contras no seu poder e de os ligar e desligar, de modo a saber utilizar, para o avanço do conhecimento, a diferença na perspectiva e nas interpretações emocionais. Mas protejamo-nos, sem dúvida, os meus colegas filosóficos, e, doravante, mais cuidadosamente contra esta mitologia de ideias antigas perigosas, que criou um "sujeito de conhecimento puro, sem vontade, indolor e intemporal"; protejamo-nos dos tentáculos de ideias tão contraditórias como "razão pura", "espiritualidade absoluta", "conhecimento em si mesmo": — nestas teorias é necessário um olho que não se pode pensar, um olho que *ex hypothesi* não tem qualquer direção, um olho em que as funções ativas e interpretativas são limitadas, estão ausentes; essas funções, digo eu, por meio das quais o "abstrato" ver primeiro se tornou ver algo; nestas teorias consequentemente o absurdo e o não-sensical é sempre exigido do olho. Há apenas um ver de uma perspectiva, apenas um "saber" de uma perspectiva, e quanto mais emoções expressarmos sobre uma coisa, quanto mais olhos, olhos diferentes, treinarmos sobre a mesma coisa, mais completa será a nossa "ideia" dessa coisa, a nossa "objetividade". Mas a eliminação da vontade no conjunto, o desligamento das emoções todas e diversas, dado que poderíamos fazê-lo, o quê! não se chamaria a isso castração intelectual?

13.

Mas voltemos atrás. Tal autocontradição, como aparentemente se manifesta entre os ascetas, "A vida voltada contra a vida", é — isto é absolutamente óbvio — do ponto de vista fisiológico e não agora do ponto de vista psicológico, simplesmente um disparate. Só pode ser uma aparente contradição; deve ser uma espécie de expressão provisória, uma explicação, uma fórmula, um ajustamento, um mal-entendido psicológico de algo, cuja verdadeira natureza não pôde ser compreendida durante muito tempo, e cuja verdadeira essência não pôde ser descrita; uma mera palavra encravada numa velha lacuna do conhecimento humano. Para colocar brevemente os fatos contra o seu realismo: o ideal ascético surge dos instintos profiláticos e autopreservadores que marcam uma vida decadente, que procura por todos os meios ao seu alcance manter a sua posição e lutar pela sua existência; aponta para uma depressão fisiológica parcial e um esgotamento, contra o qual os instintos vitais mais profundos e intactos lutam incessantemente com novas armas e descobertas. O ideal ascético é tal arma: a sua posição é consequentemente exatamente o inverso daquilo que os adoradores da imagem ideal da vida lutam nela e através dela com a morte e contra a morte; o ideal ascético é um artifício para a preservação da vida. Um fato importante é evidenciado na medida em que, como a história ensina, este ideal poderia governar e exercer poder sobre o homem, especialmente em todos os lugares onde a civilização e a domesticação do homem foi completada: esse fato é, em todo o caso, o estado de doença do homem até ao presente do homem que foi domesticado, a luta fisiológica do homem com a morte (mais precisamente, com o desgosto com a vida, com o esgotamento, com o desejo do "fim"). O padre ascético é o desejo encarnado de uma existência de outro tipo, uma existência noutro plano, — é, de fato, o ponto mais alto deste desejo, o seu êxtase e paixão oficiais: mas é o próprio poder deste desejo que é o grilho que o prende aqui; é apenas o que o transforma num instrumento que deve trabalhar para criar condições mais favoráveis à existência terrena, pois a existência no plano humano — é com este mesmo poder que ele mantém toda a manada de fracassos, de distorções, de abortos, de infelicidades, de sofredores de toda a espécie, rapidamente à existência, enquanto ele, como pastor, vai instintivamente à frente. Já me compreende: este sacerdote ascético, este aparente inimigo da vida, este negador — ele pertence na realidade às forças realmente grandes conservadoras e afirmativas da vida.... De onde vem, este estado de doença? Para o homem é mais doente, mais incerto, mais mutável, mais instável do que qualquer outro animal, não há dúvida disso — ele é o animal doente: de que é que ele provém? Certamente que ele também ousou, inovou, enfrentou mais, desafiou mais o destino do que todos os outros animais juntos; ele, o grande experimentador consigo mesmo, o insaciado, que luta pelo domínio supremo com a besta, a Natureza e os deuses, ele, o ainda não descomplicado, o sempre futuro, que já não descansa da sua própria força agressiva, inexoravelmente arrastado pelo impulso do futuro escavado na carne do presente: — Como não deveria um animal tão corajoso e rico ser também o mais ameaçado, o animal com a doença mais longa e profunda entre todos os animais doentes... O homem está farto dela, já há bastantes epidemias desta saciedade (como por volta de 1348, a época da Dança da Morte), mas mesmo esta mesma náusea, este cansaço, este desgosto consigo mesmo, tudo isto é-lhe libertado com tal força que é imediatamente transformado num novo grilhão. O seu "não", que ele profere à vida, traz à luz como que por magia uma abundância de "sins" graciosos; mesmo quando ele próprio se fere, este mestre da destruição, da autodestruição, é subsequentemente a própria ferida que o obriga a viver.

14.

Quanto mais normal é esta doença no homem — e não podemos contestar esta normalidade — maior honra deve ser paga aos raros casos de poder psíquico e físico, aos ventos da humanidade, e mais rigorosamente deve o som ser guardado do pior do ar, o ar do quarto do doente. Será que isso está feito? Os doentes são o maior perigo para os saudáveis; não é dos mais fortes que o mal vem para os fortes, mas sim dos mais fracos. Será que isso é conhecido? Em termos gerais, não é por um minuto o medo do homem, cuja diminuição deve ser desejada; pois este medo obriga os fortes a serem fortes, a serem por vezes terríveis — preserva na sua integridade o tipo sonoro do homem. O que deve ser temido, o que funciona com uma fatalidade não encontrada em nenhum outro destino, não é o grande medo do homem, mas a grande náusea com o homem; e igualmente a grande pena do homem. Supondo que ambas estas coisas fossem um dia para se abraçar, então inevitavelmente o máximo da monstruosidade viria imediatamente ao mundo — a "última vontade" do homem, a sua vontade de nada, o Niilismo. E, com toda a tranquilidade, o caminho está bem pavimentado. Aquele que não só tem o nariz para cheirar, mas também tem olhos e ouvidos, fareja quase onde quer que vá — hoje em dia um ar como o de um hospício, o ar de um hospital — estou a falar, como é evidente, das áreas cultas da humanidade, de todo o tipo de "Europa" que existe de fato no mundo. Os doentes são o grande perigo do homem, não o mal, não as "bestas de presa". São eles, os mais fracos, os que mais prejudicam a vida sob os pés do homem, os que instilam o veneno mais perigoso e o ceticismo na nossa confiança na vida, no homem, em nós próprios. Onde escaparemos dela, daquele olhar encoberto (do qual carregamos uma profunda tristeza), daquele olhar evitado daquele que desde o início nasceu mal, daquele olhar que trai o que tal homem lhe diz a si próprio — aquele olhar que é um gemido? "Oxalá eu fosse outra coisa", assim geme este olhar, "mas não há esperança. Eu sou o que sou: como poderia afastar-me de mim próprio? E, em verdade — estou farto de mim próprio"! Num tal solo de autocontentamento, um verdadeiro solo pantanoso, cresce qual erva daninha, esse crescimento venenoso, e tudo tão minúsculo, tão escondido, tão ignóbil, tão açucarado. Aqui fervem os vermes da vingança e da vingatividade; aqui o ar tresanda a coisas secretas e inomináveis; aqui está sempre a rede da mais maligna conspiração — a conspiração dos que sofrem contra o som e os vitoriosos; aqui está a visão dos vitoriosos odiados. E que mentira para não reconhecer este ódio como ódio! Que espetáculo de grandes palavras e atitudes, que arte de calúnia "justa"! Estes abortos! que nobre eloquência brota dos seus lábios! Que quantidade de submissão açucarada, viscosa e humilde, escorre nos seus olhos! O que é que eles realmente querem? Em todo o caso, representar a justiça, o amor, a sabedoria, a superioridade, que é a ambição destes "mais baixos", estes doentes! E como tal ambição os torna inteligentes! De fato, não se pode deixar de admirar a destreza falsificadora com que o selo da virtude, mesmo o anel, o anel dourado da virtude, é aqui imitado. Eles tomaram uma locação da virtude absolutamente para si próprios, têm estes fracos e infelizes inválidos, não há dúvida disso; "Só nós somos os bons, os justos", assim falam eles, "só nós somos os *homines bonæ voluntatis*". Eles perseguem no nosso meio como censuras vivas, como avisos para nós — embora a saúde, a condição física, a força, o orgulho, a sensação de poder, fossem realmente coisas viciosas em si mesmas, pelas quais se teria um dia de fazer penitência, penitência amarga. Oh, como eles próprios estão prontos nos seus corações para exigirem penitência, como têm sede depois de serem carrascos!

Entre eles há uma abundância de vinganças disfarçadas de juízes, que alguma vez falam a palavra justiça como uma saliva venenosa — com a boca, digo eu, sempre com bolsa, sempre prontos a cuspir em tudo, que não usa um olhar descontente, mas é de bom ânimo à medida que segue o seu caminho. Entre elas, mais uma vez, está aquela espécie mais abominável dos vaidosos, os abortos mentirosos, que fazem questão de representar "almas bonitas", e a possibilidade de trazer para o mercado como "pureza de coração" o seu sensualismo distorcido, embrulhado em versos e outras ligaduras; as espécies de "auto confortantes" e masturbadores das suas próprias almas. A vontade do homem doente de representar uma ou outra forma de superioridade, o seu instinto de caminhos tortos, que levam a uma tirania sobre o saudável — onde não pode ser encontrada, esta vontade de poder dos mais fracos? Especialmente a mulher doente: ninguém a supera em refinamentos para governar, oprimir, tiranizar. A mulher doente, além disso, não poupa nada vivo, nada morto; ela arranca novamente as coisas mais enterradas (os Bogos dizem: "A mulher é uma hiena"). Olha para o passado de cada família, de cada corpo, de cada comunidade: em todo o lado a luta dos doentes contra a saúde — uma luta silenciosa na sua maioria com minúsculos pós envenenados, com picadas de alfinetes, com rancorosos desgostos de paciência, mas também, por vezes, com aquele farisaísmo doente de pura pantomina, que joga por opção o papel de "justa indignação". Mesmo dentro das santas câmaras do conhecimento pode fazer-se ouvir, pode este gritar rouco de cães de caça doentes, esta mentira raivosa e frenesi de tão "nobre" Fariseus (lembro aos leitores, que têm ouvidos, mais uma vez, daquele apóstolo da vingança de Berlim, Eugen Dühring, que faz o uso mais desonroso e revoltante em toda a Alemanha atual dos resíduos morais; Dühring, o abafador moral primordial que existe hoje em dia, mesmo entre os seus próprios rins, os Antissemitas). Todos eles são homens de ressentimento, serão estas distorções fisiológicas e objetos de vermes, todo um reino de vingança estremecido, infatigável e insaciável nas suas explosões contra os felizes, e igualmente em disfarces de vingança, em pretextos de vingança: quando é que chegarão realmente ao seu triunfo final, mais carinhoso e mais sublime de vingança? Nessa altura, sem dúvida, quando conseguirem empurrar a sua própria miséria, de fato, toda a miséria, para a consciência dos felizes; para que estes últimos comecem um dia a envergonhar-se da sua felicidade, e por acaso digam a si próprios quando se encontrarem: "É uma vergonha ser feliz! há demasiada miséria!... Mas não poderia haver um mal-entendido maior e mais fatal do que o dos felizes, os aptos, os fortes de corpo e alma, começando assim a duvidar do seu direito à felicidade. Fora com este "mundo perverso"! Fora com esta debilitamento de sentimentos! Impedir que os doentes façam os sadios doentes — pois é a isso que tal imundíce chega — este deveria ser o nosso objeto supremo no mundo — mas para isso é acima de tudo essencial que os saudáveis permaneçam separados dos doentes, que se guardem até do olhar dos doentes, que não se associem sequer aos doentes. Ou será, por acaso, a sua missão ser enfermeiros ou médicos? Mas eles não poderiam errar e renegar a sua missão de forma mais grosseira — o mais alto não deve degradar-se para ser o instrumento do mais baixo, o pathos da distância deve para toda a eternidade manter as suas missões também separadas. O direito do feliz à existência, o direito dos sinos com o tom cheio sobre os sinos fendidos discordantes, é verdadeiramente mil vezes maior: só eles são as certezas do futuro, só eles estão ligados ao futuro do homem. O que eles podem, o que devem fazer, que os doentes nunca podem, nunca devem fazer! mas se lhes for permitido fazer o que só eles devem fazer, como podem ser livres para brincar ao médico, ao consolador, ao "Salvador" dos doentes... E, portanto, bom ar! bom ar! e longe, em todo o caso, da vizinhança de todas as casas de loucos e hospitais da civilização! E portanto boa companhia, a nossa própria companhia, ou solidão, se for preciso! mas longe, em todo o caso, dos fumos malignos da corrupção interna e do estado secreto dos doentes devorados por vermes! para que, para além disso, meus amigos, nos possamos defender, em todo o caso ainda por algum tempo, contra as duas piores pragas que poderiam ter sido reservadas para nós — contra a grande náusea do homem! contra a grande pena do homem!

15.

Se compreenderam em toda a sua profundidade — e eu exijo que as compreendam profundamente e as compreendam profundamente — as razões da impossibilidade de ser o negócio dos sãos a cuidar dos doentes, a fazer os doentes saudáveis, segue-se que se compreendeu esta necessidade adicional — a necessidade de médicos e enfermeiros que estão eles próprios doentes. E agora temos e seguramos com ambas as mãos a essência do padre ascético. O padre ascético deve ser aceito por nós como o salvador predestinado, pastor, e campeão do rebanho doente: assim, compreendemos primeiro a sua terrível missão histórica. O senhorio sobre os que sofrem é o seu reino, para isso aponta o seu instinto, na medida em que ele encontra a sua própria arte especial, a sua perícia de mestre, o seu tipo de felicidade. Ele próprio tem de ser doente, tem de ser fiel aos doentes e aos abortos de modo a compreendê-los, de modo a chegar a um entendimento com eles; mas também tem de ser forte, ainda mais senhor de si mesmo do que dos outros, inexpugnável, sem dúvida, na sua vontade de poder, de modo a adquirir a confiança e o respeito dos fracos, de modo a poder ser o seu porão, baluarte, propulsor, compulsor, superintendente, tirano, deus. Ele tem de os proteger, proteger o seu rebanho — contra quem? Contra os saudáveis, sem dúvida, também contra a inveja dos saudáveis. Ele tem de ser o adversário natural e o escarnecedor de toda a saúde e poder áspero, tempestuoso, incansável, duro, violento — predatório. O padre é a primeira forma do animal mais delicado que despreza mais facilmente do que odeia. Ele não será poupado à guerra com os animais de presa, uma guerra de engano (de "espírito") e não de força, como é autoevidente — em certos casos, ele achará necessário conjurar-se, ou pelo menos representar praticamente um novo tipo de besta de presa — uma nova monstruosidade animal em que o urso polar, a pantera flexível, fria, agachada, e, não menos importante, a raposa, estão unidos numa trindade tão fascinante quanto temível. Se a necessidade o exaltar, então ele entrará em cena com seriedade grosseira, venerável, sábio, frio, cheio de superioridade traiçoeira, como arauto e porta-voz de poderes misteriosos, indo por vezes mesmo entre o outro tipo de animais de presa, determinado a semear no seu solo, onde quer que possa, sofrimento, discórdia, contradição própria, e demasiado seguro da sua arte, para ser sempre senhor dos que sofrem. Traz consigo, sem dúvida, salva e bálsamo; mas antes de poder brincar ao médico, tem de primeiro ferir; assim, enquanto alivia a dor que a ferida provoca, envenena ao mesmo tempo a ferida. Bem versado é ele nisto acima de tudo, é este feiticeiro e domador de animais selvagens, em cuja vizinhança tudo o que é saudável tem de ficar doente, e tudo o que é doente tem de ficar domesticado. Ele protege, de forma suficientemente tranquila, a sua manada doente, faz este estranho pastor; protege-os também contra si próprios, contra as faíscas (mesmo no centro da manada) da maldade, da picardia, da malícia, e de todos os outros males de que a praga e os doentes são herdeiros; luta com astúcia, dureza e furor contra a anarquia e contra a ruptura sempre iminente dentro da manada, onde o ressentimento, aquele explosivo mais perigoso e explosivo, se acumula e se acumula. Livrar-se desta matéria explosiva de tal forma que não faça explodir a manada e o pastor, que é o seu verdadeiro feito, a sua suprema utilidade; se desejar compreender na fórmula mais curta o valor da vida sacerdotal, seria correto dizer que o padre é o desviador do curso do ressentimento. Cada sofredor, de fato, procura instintivamente uma causa do seu sofrimento; para o dizer de forma mais exata, um fazedor, — para o dizer de forma ainda mais precisa, um fazedor responsável, — em suma, algo vivo, sobre o qual, seja de fato ou em efígie, pode, sob qualquer pretexto, desabafar as suas emoções. Pois o desabafo das emoções é a maior tentativa de alívio do doente, ou seja, estupefação, o seu narcótico mecanicamente desejado contra qualquer tipo de dor. É apenas neste fenômeno que se encontra, segundo o meu julgamento, a verdadeira causa fisiológica do ressentimento, da vingança, e da sua família — ou seja, numa exigência de morte da dor através da emoção: esta causa é geralmente, mas a meu ver muito erroneamente, procurada na paróquia defensiva de um princípio de reação de proteção nua, de um "movimento reflexo" no caso de qualquer dor e perigo súbitos, após a forma como um sapo decapitado ainda se move para se afastar de um ácido corrosivo. Mas a diferença é fundamental. Num caso, o objeto é impedir que se magoe mais; no outro caso, o objeto é matar uma dor de rachar, insidiosa, quase insuportável por uma emoção mais violenta de qualquer tipo, e em todo o caso, por enquanto, expulsá-la da consciência — para este fim é necessária uma emoção, tão selvagem quanto possível, e para excitar essa emoção é necessária alguma desculpa ou outra. "Deve ser culpa de alguém que eu me sinta mal" — este tipo de raciocínio é peculiar a todos os inválidos, e é apenas mais pronunciado, quanto mais ignorantes, mais ignorantes ficam da verdadeira causa do seu sentimento mau, a causa fisiológica (a causa pode residir numa doença do *nervus sympathicus*, ou numa secreção excessiva de bílis, ou na falta de sulfato e fosfato de potássio no sangue, ou na pressão no intestino que impede a circulação do sangue, ou na degeneração dos ovários, e assim por diante). As pessoas que sofrem de doença têm uma enorme engenhosidade em encontrar desculpas para emoções dolorosas; até gostam dos seus ciúmes, das suas cismas sobre ações de base e lesões aparentes, esburacam os intestinos do seu passado e presente na sua busca de mistérios obscuros, onde terão a liberdade de chafurdar numa suspeita torturante e embebedar-se no veneno do seu próprio mal — eles abrem as feridas mais antigas, fazem-se sangrar das cicatrizes há muito curadas, fazem malfeitores de amigos, mulher, filho, e tudo o que lhes é mais próximo. "Eu sofro: a culpa deve ser de alguém" — assim pensa cada ovelha doente. Mas o seu pastor, o padre ascético, diz-lhe: "É verdade, minhas ovelhas, deve ser culpa de alguém; mas tu próprio és que alguém, é tudo culpa de ti mesmo sozinho — é culpa de ti mesmo sozinho contra ti mesmo": isso é suficientemente ousado, falso, mas uma coisa pelo menos é alcançada; assim, como já disse, o curso do ressentimento é desviado.

16.

Vê-se agora o que o instinto curativo da vida pelo menos tentou fazer, de acordo com a minha concepção, através do padre ascético, e o propósito para o qual teve de empregar uma tirania temporária de ideias tão paradoxais e anômalas como "culpa", "pecado", "pecaminosidade", "corrupção", "danação". O que foi feito foi tornar os doentes inofensivos até um certo ponto, destruir o incurável por meio de si próprios, virar os casos mais amenos severamente para si próprios, dar ao seu ressentimento uma direção retrógrada ("o homem só precisa de uma coisa"), e explorar de forma semelhante os maus instintos de todos os que sofrem com vista à autodisciplina, autovigilância, automastria. É óbvio que não pode haver qualquer dúvida no caso de uma "medicação" deste tipo, uma mera medicação emocional, de qualquer cura real dos doentes no sentido fisiológico; não se pode sequer afirmar por um momento que, neste contexto, o instinto da vida tomou a cura como seu objetivo e finalidade. Por um lado, uma espécie de congestão e organização dos doentes (a palavra "Igreja" é o nome mais popular para ela): por outro lado, uma espécie de salvaguarda provisória dos espécimes relativamente saudáveis, os mais perfeitos, a clivagem de uma fenda entre saudáveis e doentes durante muito tempo, isso foi tudo! e foi muito! foi muito!

Procedo, como veem, neste ensaio, a partir de uma hipótese que, para os leitores que me interessam, não é necessário provar; a hipótese de que a "pecaminosidade" no homem não é um fato real, mas apenas a interpretação de um fato, de um desconforto fisiológico,- um desconforto visto através de uma perspectiva moral religiosa que já não nos vincula. O fato, portanto, de alguém se sentir "culpado", "pecaminoso", não é certamente qualquer prova de que tenha razão em sentir-se assim, tal como ninguém é saudável simplesmente porque se sente saudável. Lembre-se das famosas provações de bruxas: naqueles dias, os juízes mais agudos e humanos não tinham dúvidas de que, nestes casos, eram confrontados com a culpa, — as próprias "bruxas" não tinham dúvidas sobre o assunto, — e, no entanto, a culpa não existia. Permitam-me que elabore esta hipótese: Não aceito nem por um minuto a própria "dor na alma" como um fato real, mas apenas como uma explicação (uma explicação casual) de fatos que até agora não podiam ser formulados com precisão; considero-a portanto como algo ainda absolutamente no ar e desprovido de cogência científica — apenas uma bela palavra gorda no lugar de uma nota magra de interrogatório. Quando alguém não se livra da sua "dor na alma", a causa está, falando cruamente, a ser encontrada não na sua "alma", mas mais provavelmente no seu estômago (falando cruamente, repito, mas de forma alguma desejando assim que me ouçam ou me compreendam num espírito rude). Um homem forte e bem constituído digere as suas experiências (atos e erros, todos incluídos) tal como digere as suas carnes, mesmo quando tem alguns bocados difíceis de engolir. Se ele não conseguir "aliviar-se" de uma experiência, este tipo de indigestão é tão fisiológica como a outra indigestão — e de fato, em mais do que uma forma, simplesmente um dos resultados da outra. Pode-se adotar tal teoria e, no entanto, entre nós, ser o adversário mais forte de todo o materialismo.

17.

Mas será ele realmente um médico, este padre ascético? Já compreendemos porque é que dificilmente nos é permitido chamar-lhe médico, por muito que ele goste de sentir um "salvador" e se deixe adorar como um salvador. É apenas o sofrimento real, o desconforto do doente, que ele combate, não a sua causa, não o estado real das doenças — estas necessidades devem constituir a nossa objeção mais radical à medicação sacerdotal. Mas só uma vez se colocar nesse ponto de vista, do qual os padres têm o monopólio, terá dificuldade em esgotar o seu espanto, naquilo que, desse ponto de vista, ele viu, procurou e encontrou completamente. A mitigação do sofrimento, todo o tipo de "consolação" — tudo isto se manifesta como o seu próprio gênio. Com que engenhosidade interpretou ele a sua missão de consolador, com que aplauso e audácia escolheu as armas necessárias para o papel. O cristianismo, em particular, deve ser apelidado de um grande tesouro — câmara de consolações engenhosas, — tal reserva de drogas refrescantes, calmantes e mortíferas acumulou-a dentro de si, muitos dos mais perigosos e ousados expedientes puseram-na em perigo; com tanta sutileza, refinamento oriental, tem-no adivinhado o que os estimulantes emocionais podem conquistar, em todo o caso durante algum tempo, a depressão profunda, a fadiga do chumbo, a melancolia negra dos aleijados fisiológicos — pois, falando em geral, todas as religiões estão principalmente preocupadas em combater uma certa fadiga e peso que infectou tudo. Pode considerar-se à primeira vista provável que, em certos lugares do mundo, quase que de vez em quando prevalecesse entre as grandes massas da população uma sensação de depressão fisiológica, que, contudo, devido à sua falta de conhecimentos fisiológicos, não apareceu à sua consciência como tal, de modo que consequentemente a sua "causa" e a sua cura só pode ser procurada e ensaiada na ciência da psicologia moral (esta, de fato, é a minha fórmula mais geral para aquilo a que geralmente se chama uma "religião"). Tal sentimento de depressão pode ter as mais diversas origens; pode ser o resultado do cruzamento de raças demasiado heterogêneas (ou de diferenças de classes -genealógicas e raciais são também trazidas à tona nas classes: o "Weltschmerz" europeu, o "Pessimismo" do século XIX, é realmente o resultado de uma mistura de classes absurda e repentina); pode ser provocada por uma emigração errada — uma raça que cai num clima para o qual o seu poder de adaptação é insuficiente (o caso dos indianos na Índia); pode ser o efeito da velhice e do cansaço (o pessimismo parisiense a partir de 1850); pode ser uma dieta errada (o alcoolismo da Idade Média, o absurdo do vegetarianismo — que, no entanto, têm a seu favor a autoridade de Sir Christopher em Shakespeare); pode ser a deterioração do sangue, a malária, a sífilis, e afins (a depressão alemã após a Guerra dos Trinta Anos, que infectou metade da Alemanha com doenças malignas, e assim abriu o caminho para o servilismo alemão, para a pusilanimidade alemã). Neste caso, há invariavelmente recurso a uma guerra em grande escala com o sentimento de depressão; vamos informar-nos brevemente sobre as suas práticas e fases mais importantes (deixo de um lado, como esta razão, a verdadeira guerra filosófica contra o sentimento de depressão que geralmente é simultâneo — é suficientemente interessante, mas demasiado absurda, demasiado insignificante, demasiado cheia de teias de aranha, demasiado cheia de um caso de buraco e de canto, especialmente quando se prova que a dor é um erro, na hipótese ingênua de que a dor tem de desaparecer quando o erro subjacente é reconhecido — mas eis que ela faz tudo menos desaparecer...). Essa depressão dominante é principalmente combatida por armas que reduzem a consciência da própria vida ao mais baixo grau. Sempre que possível, sem mais desejos, evitar tudo o que produz emoção, que produz "sangue" (não comer sal, a falsa higiene); sem amor; sem ódio; equanimidade; sem vingança; sem enriquecer; sem trabalho; mendigar; na medida do possível, sem mulher, ou tão pequena mulher quanto possível; no que diz respeito ao intelecto, o princípio de Pascal, "*il faut s'abêtir*". Colocar o resultado numa linguagem ética e psicológica, "auto-aniquilação", "santificação"; colocá-lo numa linguagem fisiológica, "hipnotismo" — a tentativa de encontrar algum equivalente humano aproximado para o que é a hibernação para certos animais, para o que é a estivação para muitas plantas tropicais, um mínimo de assimilação e metabolismo em que a vida apenas consegue subsistir sem realmente entrar na consciência. Uma incrível quantidade de energia humana tem sido dedicada a este objeto — talvez inutilmente? Não pode haver a mínima dúvida de que tais desportistas de "santidade", nos quais por vezes quase todas as nações abundaram, encontraram realmente um alívio genuíno daquilo com que combateram com um treino tão rigoroso — em inúmeros casos, escaparam realmente com a ajuda do seu sistema de hipnotismo para longe de uma depressão fisiológica profunda; o seu método é consequentemente contado entre os fatos etnológicos mais universais. Do mesmo modo, é impróprio considerar tal plano para matar à fome o elemento físico e os desejos, como um sintoma de insanidade (como uma espécie desajeitada de "livres-pensadores" devoradores de carne assada e Sir Christophers estão a desmaiar); tanto mais certo é que o seu método pode e prepara o caminho para todo o tipo de perturbações mentais, por exemplo, "luzes interiores" (no caso dos Hesicastos do Monte Athos), alucinações auditivas e visuais, êxtases voluptuosos e efervescências do sensualismo (a história de St. Teresa). A explicação de tais acontecimentos dada pelas vítimas é sempre o apogeu da falsidade fanática; isto é evidente por si mesmo. Note-se bem, contudo, o tom de agradecimento implícito que soa na própria vontade de uma explicação de tal caráter. O estado supremo, a própria salvação, esse objetivo final da hipnose universal e da paz, é sempre considerado por eles como o mistério dos mistérios, que mesmo os símbolos mais supremos são inadequados para expressar; é considerado como uma entrada e um regresso à essência das coisas, como uma libertação de todas as ilusões, como "conhecimento", como "verdade", como "ser", como uma fuga de cada fim, cada desejo, cada ação, como algo mesmo para além do Bem e do Mal. "O Bem e o Mal", dizem os budistas, "ambos são grilhões". "O homem perfeito é mestre de ambos".

"O feito e o desfeito", diz o discípulo do Vedânta, "não lhe façam mal; o bem e o mal que ele sacode de si, sábio que ele é; o seu reino não sofre mais com qualquer ato; o bem e o mal, ele vai além de ambos" — uma concepção absolutamente indiana, tanto Brahmanist como Buddhist. Nem no índio nem na doutrina cristã esta "redenção" é considerada alcançável através da virtude e da melhoria moral, por mais elevada que seja a eficácia hipnótica da virtude: mantenha-se claro neste ponto — na realidade — ela corresponde simplesmente aos fatos. O fato de terem permanecido verdadeiros sobre este ponto talvez deva ser considerado como o melhor espécime de realismo nas três grandes religiões, absolutamente impregnadas como estão de moralidade, com esta única exceção. "Para aqueles que sabem, não há dever". "A redenção não é alcançada pela aquisição de virtudes; pois a redenção consiste em ser um com Brahman, que é incapaz de adquirir qualquer perfeição; e igualmente pouco consiste na renúncia a falhas, pois o Brahman, unidade com quem é que constitui a redenção, é eternamente puro" (estas passagens são dos Comentários do Cankara, citados do primeiro verdadeiro especialista europeu da filosofia indiana, o meu amigo Paul Deussen). Desejamos, portanto, honrar a ideia de "redenção" nas grandes religiões, mas é um pouco difícil permanecer sério, tendo em conta o apreço que estes pessimistas exaustos, demasiado cansados até para sonharem, têm pelo sono profundo considerado, ou seja, como já uma fusão em Brahman, como a realização da *unio mystica* com Deus. "Quando ele adormeceu completamente", diz sobre este ponto o mais antigo e venerável "guião", "e chegou ao repouso perfeito, de modo que não vê mais nenhuma visão, então, oh querido, está unido ao Ser, entrou no seu próprio eu com o seu conhecimento absoluto, não tem mais nenhuma consciência do que está fora ou do que está dentro. Dia e noite não atravessa estas pontes, nem a idade, nem a morte, nem o sofrimento, nem as boas ações, nem as más ações". "Em sono profundo", dizem de forma semelhante os crentes nesta mais profunda das três grandes religiões, "a alma levanta-se deste nosso corpo, entra na luz suprema e destaca-se nela na sua verdadeira forma: é ela própria o espírito supremo, que viaja, enquanto se empolga e brinca e se diverte, quer com mulheres, quer com carruagens, quer com amigos; aí os seus pensamentos não voltam mais a este apanágio de um corpo, ao qual o 'prana' (o sopro vital) é aproveitado como uma besta de carga para a carroça. " No entanto, teremos o cuidado de perceber (como fizemos ao discutir a "redenção") que apesar de todas as suas pompas de extravagância oriental, isto exprime simplesmente a mesma crítica sobre a vida que o frio, claro e grego, mas ainda assim sofrendo o Epicuro. A sensação hipnótica do nada, a paz do sono mais profundo, a anestesia em suma — é isso que passa com os que sofrem e os absolutamente deprimidos pelo seu bem supremo, o seu valor de valores; é isso que deve ser valorizado por como algo positivo, ser sentido por eles como a essência do Positivo (de acordo com a mesma lógica dos sentimentos, o nada está em todas as religiões pessimistas chamadas Deus).

18.

Tal hipnótico amortecimento da sensibilidade e suscetibilidade à dor, que pressupõe poderes algo raros, especialmente coragem, desprezo de opinião, estoicismo intelectual, é menos frequente do que outro, e certamente mais fácil, treino que é tentado contra estados de depressão. Refiro-me à atividade mecânica. É indiscutível que uma existência de sofrimento pode ser assim consideravelmente aliviada. Este fato é chamado hoje em dia pelo título algo ignóbil de "Bênção do trabalho". O alívio consiste em a atenção do doente ser absolutamente desviada do sofrimento, no monopólio incessante da consciência pela ação, de modo a que, consequentemente, haja pouco espaço para o sofrimento — por estreita que seja, esta câmara da consciência humana! A atividade mecânica e os seus corolários, tais como a absoluta regularidade, a obediência pouco razoável, a rotina crônica da vida, a ocupação completa do tempo, uma certa liberdade para ser impessoal, não, uma formação em "impessoalidade", auto esquecimento, *"incuria sui"* — com que meticulosidade e sutileza todos estes métodos foram explorados pelo padre ascético na sua guerra com dor!

Quando ele tem de enfrentar os que sofrem das ordens inferiores, escravos ou prisioneiros (ou mulheres, que na sua maioria são um composto de escravos e prisioneiros), tudo o que ele tem de fazer é fazer malabarismos com os nomes, e repreender, de modo a fazê-los ver doravante um benefício, uma felicidade comparativa, em objetos que eles odiavam — o descontentamento do escravo com a sua sorte não foi de modo algum inventado pelos padres. Um meio ainda mais popular de combater a depressão é a ordenação de um pouco de alegria, que é facilmente acessível e pode ser transformado numa regra; este medicamento é frequentemente utilizado em conjunto com os primeiros. A forma mais frequente em que a alegria é prescrita como cura é a alegria em produzir alegria (tal como fazer o bem, dar presentes, aliviar, ajudar, exortar, confortar, elogiar, tratar com distinção); juntamente com a prescrição de "ama o teu próximo". O padre ascético prescreve, embora nas doses mais cautelosas, o que é praticamente um estímulo do impulso mais forte e mais assertivo da vida — a Vontade de Poder. A felicidade envolvida na "menor superioridade", que é a concomitância de todos os benefícios, ajudando, exaltando, fazendo a própria utilidade, é o mais amplo consolo, do qual, se forem bem aconselhados, se aproveitam as distorções fisiológicas, noutros casos magoam-se mutuamente, e naturalmente em obediência ao mesmo instinto radical. Uma investigação sobre a origem do cristianismo no mundo romano mostra que as uniões cooperativas para a pobreza, doença e enterro surgiram no estrato mais baixo da sociedade contemporânea, no meio do qual o principal antídoto contra a depressão, a pouca alegria experimentada em benefícios mútuos, foi deliberadamente fomentado. Por acaso, isto foi então uma novidade, uma verdadeira descoberta? Esta conjectura da vontade de cooperação, de organização familiar, de vida comunitária, de "Cenáculo" levou necessariamente a vontade de poder, que já tinha sido infinitamente estimulada, a uma nova e muito mais plena manifestação. A organização do rebanho é um verdadeiro avanço e um triunfo na luta contra a depressão. Com o crescimento da comunidade amadurece mesmo para os indivíduos um novo interesse, que muitas vezes o tira do elemento mais pessoal do seu descontentamento, a sua aversão a si próprio, o *"despectio sui"* da Geulincx. Todas as pessoas doentes se esforçam instintivamente após uma organização da manada, por desejo de se livrarem do seu sentimento de desconforto e fraqueza opressiva; o padre ascético diviniza este instinto e promove-o; onde quer que exista uma manada, é o instinto de fraqueza que desejou a manada, e a esperteza dos padres que a organizaram, pois, marcam isto: por uma necessidade igualmente natural os fortes esforçam-se tanto pelo isolamento como os fracos pela união, quando os primeiros se unem, é apenas com vista a uma ação conjunta agressiva e satisfação conjunta da sua vontade de poder, muito contra a vontade das suas consciências individuais; os segundos, pelo contrário, oscilam entre si com prazer positivo em tal reunião — os seus instintos são assim tão gratificados como os instintos do "mestre nato" (ou seja, da espécie solitária da besta de rapina do homem) são perturbados e feridos pela organização. Há sempre à espreita sob cada oligarquia — tal é a lição universal da história — o desejo de tirania. Cada oligarquia está continuamente a tremer com a tensão do esforço exigido por cada indivíduo para continuar a dominar este desejo. (Tal, por exemplo, era o grego; Platão mostra-o em cem lugares, Platão, que conhecia os seus contemporâneos — e a si próprio).

19.

Os métodos empregados pelo padre ascético, que já aprendemos a conhecer — o saber-fazer de toda a vitalidade, a energia mecânica, a pouca alegria, e especialmente o método de "amar o próximo" — a organização, o despertar da consciência comunitária do poder, a tal ponto que o desgosto do indivíduo por si próprio se torna eclipsado pelo seu deleite no florescimento da comunidade — estes são, de acordo com os padrões modernos, os métodos "inocentes" empregados na luta contra a depressão; vejamos agora o tópico mais interessante dos métodos "culpados". Os métodos "culpados" significam uma coisa: produzir o excesso emocional — que é usado como a anestesia mais eficaz contra o seu deprimente estado de dor prolongada; é por isso que o engenho sacerdotal provou ser bastante inesgotável ao pensar nesta única questão: "Por que meios se pode produzir um excesso emocional?" Isto parece duro: é manifesto que soaria mais agradável e seria mais bem-vindo aos ouvidos, se eu dissesse, sem dúvida: "O padre ascético fez uso em todos os momentos do entusiasmo contido em todas as emoções fortes". Mas qual é o bem de ainda acalmar os ouvidos delicados dos nossos mimados modernos? Qual é o bem do nosso lado de brotando uma única polegada antes da sua hiprocrisia verbal. Para nós, psicólogos, fazer isso seria ao mesmo tempo hipócrita, para além do fato de nos causar náuseas. O bom gosto (outros poderiam dizer, a retidão) de um psicólogo nos dias de hoje consiste, se é que existe, em combater a linguagem vergonhosamente moralizada com que todos os julgamentos modernos sobre os homens e as coisas são manchados. Pois, não se iluda: o que constitui a principal característica das almas modernas e dos livros modernos não é a mentira, mas a inocência que faz parte da sua desonestidade intelectual. O inevitável ao esbarrar contra esta "inocência" em todo o lado constitui a característica mais desagradável do negócio algo perigoso que um psicólogo moderno tem de empreender: é uma parte do nosso grande perigo — é um caminho que talvez nos leve diretamente à grande náusea — conheço muito bem o propósito que todos os livros modernos irão e poderão servir (dado que duram, o que eu não temo, e dado igualmente que haverá em algum dia futuro uma geração com um gosto mais rígido, mais severo, e mais saudável) — a função que toda a modernidade geralmente servirá com a posteridade: a de um emético,- e isto em razão da sua açucaridade moral e falsidade, do seu feminismo arraigado, que tem o prazer de chamar "Idealismo", e de qualquer forma acredita ser idealismo. Os nossos homens cultos de hoje, os nossos homens "bons", não mentem — isso é verdade; mas não se volta para a sua honra! A verdadeira mentira, a mentira genuína, determinada, "honesta" (sobre cujo valor se pode ouvir Platão) seria, de longe, um artigo demasiado duro e forte para eles, seria pedir-lhes que fizessem o que as pessoas foram proibidas de lhes pedir, que abrissem os olhos para si próprios, e que aprendessem a distinguir entre "verdadeiro" e "falso" em si próprios. A mentira desonesta só lhes convém. Tudo o que sente um bom homem é perfeitamente incapaz de qualquer outra atitude a não ser a de um mentiroso desonroso, um mentiroso absoluto, mas, no entanto, um mentiroso inocente, um mentiroso de olhos azuis, um mentiroso virtuoso. Estes "homens bons", estão todos agora manchados de moralidade por completo, e no que diz respeito à honra, são desonrados e corrompidos por toda a eternidade. Qual deles poderia suportar mais uma verdade "sobre o homem"? ou, dito de forma mais tangível, qual deles poderia suportar uma verdadeira biografia? Um ou dois exemplos: Lord Byron compôs uma autobiografia muito pessoal, mas Thomas Moore era "demasiado bom" para ela; queimou os papéis do seu amigo. Diz-se que o Dr. Gwinner, o executor de Schopenhauer, fez o mesmo; Schopenhauer também escreveu muito sobre si próprio, e talvez também contra si próprio: (ες αντòν). O virtuoso americano Thayer, biógrafo de Beethoven, parou subitamente o seu trabalho: tinha chegado a um certo ponto nessa vida honrada e simples, e já não a suportava. Moral: que homem sensato escreve hoje uma palavra honesta sobre si próprio? Ele já deve pertencer à Ordem da Sagrada Tontaza. É-nos prometida uma autobiografia de Richard Wagner; quem duvida que seria uma autobiografia inteligente? Pense, sem dúvida, no grotesco horror que o padre católico Janssen despertado na Alemanha com as suas imagens inconcebivelmente quadradas e inofensivas da Reforma Alemã; o que não fariam as pessoas se algum verdadeiro psicólogo nos falasse de um Lutero genuíno, nos dissesse, não com a simplicidade moralista de um padre do campo ou a doce e cautelosa modéstia de um historiador protestante, mas com a intrepidez de um Taine, que brota da força do caráter e não de uma prudente tolerância da força. (Os alemães, diga-se de passagem, já produziram o espécime clássico desta tolerância — podem muito bem ser autorizados a considerá-lo como um dos seus, em Leopold Ranke, aquele defensor clássico nascido de todas as *causas fortior*, aquele mais esperto de todos os oportunistas espertos).

20.

Mas em breve me compreenderá. — Posto isto em breve, há razão suficiente, não será, para nós psicólogos de hoje em dia, que nunca recebemos de uma certa desconfiança em relação a nós próprios? Provavelmente até nós próprios ainda somos "demasiado bons" para o nosso trabalho, provavelmente, qualquer que seja o desprezo que sentimos por esta loucura popular pela moralidade, nós próprios somos, não obstante, talvez as suas vítimas, presas e escravos; provavelmente infecta até a nós. Do que nos advertiu aquele diplomata, quando disse aos seus colegas: "Desconfiemos especialmente dos nossos primeiros impulsos, senhores! eles são quase sempre bons"? Assim deve hoje em dia cada psicólogo falar com os seus colegas. E assim voltamos ao nosso problema, que de fato exige de nós uma certa severidade, uma certa desconfiança especialmente contra "os primeiros impulsos". O ideal ascético ao serviço do excesso emocional projetado: — aquele que se lembrar do ensaio anterior já antecipará parcialmente o significado essencial comprimido nestas dez palavras acima. A profunda falta de articulação da alma humana, o mergulho dela no terror, na geada, no ardor, no arrebatamento, de modo a libertá-la, como através de algum choque relâmpago, de toda a pequenez e mesquinhez da infelicidade, depressão e desconforto: que caminhos levam a este objetivo? E qual destas formas o faz com mais segurança? No fundo, todas as grandes emoções têm este poder, desde que encontrem uma súbita libertação — emoções como a raiva, o medo, a luxúria, a vingança, a esperança, o triunfo, o desespero, a crueldade; e, com toda a tranquilidade, o padre ascético não teve escrúpulos em levar ao seu serviço toda a matilha de cães de caça que se enfurecem no canil humano, libertando agora estes e agora aqueles, com o mesmo objetivo constante de acordar o homem da sua prolongada melancolia, de perseguir, pelo menos por algum tempo, a sua dor monótona, a sua miséria encolhida, mas sempre sob a sanção de uma interpretação e justificação religiosa. Este excesso emocional tem subsequentemente de ser pago, isto é autoevidente — torna os doentes mais doentes — e por isso este tipo de remédio para a dor é, de acordo com os padrões modernos, do tipo "culpado".

Os ditames de justiça, no entanto, exigem que se enfatize ainda mais o fato de que este remédio é aplicado com uma boa consciência, que o padre ascético prescreveu-o na crença mais implícita na sua utilidade e indispensabilidade, — frequentemente, quase que sucumbindo na presença da dor que criou. — que devemos igualmente salientar o fato de que as vinganças fisiológicas violentas de tais excessos, mesmo talvez as perturbações mentais, não são absolutamente incompatíveis com o teor geral deste tipo de remédio; este remédio, que, como demonstramos anteriormente, não se destina a curar doenças, mas sim a combater a infelicidade dessa depressão, cujo alívio e morte foi o seu objeto. O objeto foi, por conseguinte, alcançado. A tônica pela qual o padre ascético foi capaz de obter todo o tipo de música agonizante e extasiante para tocar nas fibras da alma humana — foi, como todos sabem, a exploração do sentimento de "culpa". Já indiquei no ensaio anterior a origem deste sentimento — como um pedaço de psicologia animal e nada mais: fomos assim confrontados com o sentimento de "culpa", no seu estado bruto, por assim dizer. Foi primeiro nas mãos do padre, verdadeiro artista, que ele teve o sentimento de culpa, que tomou forma — oh, que forma! "Pecado" — pois é esse o nome da nova versão sacerdotal da "má consciência" animal (a crueldade invertida) — tem sido até hoje o maior acontecimento da história da alma doente: no "pecado" encontramos a obra-prima mais perigosa e fatal da interpretação religiosa. Imagine o homem, sofrendo de si mesmo, de uma forma ou de outra, mas de qualquer modo fisiologicamente, talvez como um animal fechado numa gaiola, não claro quanto ao porquê e ao porquê! Imaginem-no no seu desejo de razões — razões trazem alívio — no seu desejo de remédios, narcóticos finalmente, consultando um, que conhece até o oculto — e vejam, eis que ele recebe uma dica do seu mago, o padre ascético, a sua primeira dica sobre a "causa" do seu problema: ele deve procurá-la em si mesmo, na sua culpa, num pedaço do passado, ele deve compreender o seu próprio sofrimento como um estado de castigo. Ele ouviu, compreendeu, tem o infeliz: está agora na situação de uma galinha redonda que foi traçada uma linha. Ele nunca sai do círculo de linhas. O homem doente foi transformado em "pecador" — e agora, durante alguns milhares de anos, nunca nos afastamos da visão deste novo inválido, de "um pecador" — será que alguma vez nos afastaremos dele? — para onde quer que olhemos, para todo o lado o olhar hipnótico do pecador movendo-se sempre numa direção (na direção da culpa, a única causa de sofrimento); para todo o lado a consciência maligna, este *"greuliche thier"*, para usar a linguagem de Lutero; para todo o lado a ruminar sobre o passado, uma visão distorcida da ação, o olhar do "monstro de olhos verdes" voltado para toda a ação; em toda a parte o mal-entendido intencional do sofrimento, a sua transvalorização em sentimento de culpa, medo de retribuição; em toda a parte o flagelo, o cilício, o corpo esfomeado, a contrição; em toda a parte o pecador a partir-se na roda sinistra de uma consciência inquieta e morbidamente ansiosa; em toda a parte a dor muda, o medo extremo, a agonia de um coração torturado, os espasmos de uma felicidade desconhecida, o grito de "redenção". "De fato, graças a este sistema de procedimento, o antigo a depressão, o entorpecimento e o cansaço foram absolutamente conquistados, a própria vida tornou-se novamente muito interessante, acordada, eternamente acordada, sem sono, brilhante, queimada, exausta e, no entanto, não cansada — tal foi a figura cortada pelo homem, "o pecador", que foi iniciado nestes mistérios. Este grande e velho feiticeiro de um sacerdote ascético lutando com a depressão — ele tinha claramente triunfado, o seu reino tinha chegado: os homens já não resmungavam com a dor, os homens desesperados atrás da dor: "Mais dor! Mais dor!" Assim, durante séculos a fio, gritou a exigência dos seus acólitos e iniciados. Todo o excesso emocional que doía; tudo o que quebrou, derrubou, esmagou, transportou, arrebatou; o mistério das câmaras de tortura, o engenho do inferno — tudo isto foi agora descoberto, adivinhado, explorado, tudo isto estava ao serviço do feiticeiro, tudo isto serviu para promover o triunfo do seu ideal, o ideal ascético. "O meu reino não é deste mundo", disse ele, tanto no início como no fim: se ele ainda tivesse o direito de falar assim? — Goethe sustentou que existem apenas trinta e seis situações trágicas: daí inferiríamos, não sabíamos de outra forma, que Goethe não era um padre ascético. Ele sabe mais.

21.

No que diz respeito a todo este tipo de discurso de padre, do tipo "culpado", cada palavra de crítica é supérflua. Quanto à sugestão de que o excesso emocional do tipo, que nestes casos o padre ascético desmaia para ordenar aos seus doentes (sob o eufemismo mais sagrado, como é óbvio, e igualmente impregnado com a santidade do seu propósito), alguma vez foi realmente útil a qualquer homem doente, que, de certo modo, se sentiria inclinado a manter uma proposta desse caráter? Em todo o caso, deveria chegar-se a algum entendimento quanto à expressão "ser útil". Se apenas se quiser expressar que um tal sistema de tratamento reformou o homem, eu não o contradigo: Apenas acrescento que "reformado" transmite à minha mente tanto como "domesticado", "enfraquecido", "desanimado", "refinado", "santificado", "imaculado" (e assim significa quase tanto como ferido). Mas quando se tem de lidar principalmente com criaturas doentes, deprimidas e oprimidas, tal sistema, mesmo que se conceda que torna os doentes "melhores", em quaisquer circunstâncias também os torna mais doentes: pergunte aos malucos o resultado invariável de uma aplicação metódica de penitência — tortura, contrição, e êxtase de salvação. Do mesmo modo, pergunte à história. Em cada corpo político onde o padre ascético estabeleceu este tratamento dos doentes, a doença espalhou-se em todas as ocasiões com uma velocidade sinistra ao longo de todo o seu comprimento e largura. Qual foi sempre o "resultado"? Um sistema nervoso despedaçado, para além da doença existente, e isto no maior como no menor, nos indivíduos como nas massas. Encontramos, em consequência da penitência e treino de redenção, terríveis epidemias epilépticas, as maiores conhecidas da história, como as danças de S. Vito e S. João da Idade Média; encontramos, como outra fase do seu efeito secundário, mutilações assustadoras e depressões crônicas, por meio das quais o temperamento de uma nação ou de uma cidade (Genebra, Basileia) é este treino, mais uma vez, é responsável pela histeria-feiticeira, um fenômeno análogo ao sonambulismo (oito grandes explosões epidêmicas apenas entre 1564 e 1605); — encontramos igualmente no seu treino aqueles delirantes desejos de morte de grandes massas, cujo terrível "grito", "e viva la morte"! "foi ouvido em toda a Europa, agora interrompido por variações voluptuosas, por uma raiva de destruição, tal como a mesma sequência emocional com as mesmas intermitências e mudanças repentinas é agora universalmente observada em todos os casos em que a doutrina ascética do pecado marca mais uma vez um grande sucesso (a neurose religiosa aparece como uma manifestação do diabo, não há dúvida disso. O que é isso? Quæritur). Falando em geral, o ideal ascético e o seu culto subliminar-moral, esta sistematização mais engenhosa, imprudente e perigosa de todos os métodos de excesso emocional, é escrita em grande escala de forma terrível e inesquecível sobre toda a história do homem, e infelizmente não só sobre a história. Mal fui capaz de apresentar qualquer outro elemento que atacasse a saúde e a eficiência racial dos europeus com mais poder destrutivo do que este ideal; pode ser apelidado, sem exagero, de verdadeira fatalidade na história da saúde do homem europeu. No máximo, pode simplesmente fazer-se uma comparação com a influência especificamente alemã: Refiro-me ao envenenamento alcoólico da Europa, que até ao presente acompanhou exatamente o domínio político e racial dos alemães (onde inocularam o seu sangue, lá também inocularam o seu vício). Terceiro na série vem a *sífilis-magno sed proxima intervallo.*

22.

O padre ascético, onde quer que tenha obtido o domínio, corrompeu a saúde da alma, consequentemente também corrompeu o gosto em *artibus et litteris* — corrompe-o ainda. "Consequentemente?". Espero que me seja concedido este "consequentemente"; em todo o caso, não o vou provar primeiro. Uma indicação solitária, diz respeito ao livro de arquivo da literatura cristã, o seu verdadeiro modelo, o seu "livro-em-próprio". No próprio seio do esplendor greco-romano, que era também um esplendor de livros, face a face com um mundo antigo de escritos que ainda não tinham caído em decadência e ruína, numa época em que certos livros ainda estavam para ser lidos, para possuir, que hoje em dia daríamos em troca metade da nossa literatura, naquela época a simplicidade e vaidade dos agitadores cristãos (são geralmente chamados Padres da Igreja) ousaram declarar: "Também nós temos a nossa literatura clássica, não precisamos da dos gregos" — e entretanto eles apontaram com orgulho os seus livros de lendas, as suas cartas de apóstolos, e as suas apologéticas, da mesma forma que hoje em dia o "Exército de Salvação" inglês paga a sua luta contra Shakespeare e outros "pagãos" com uma literatura análoga. Já o adivinham, não gosto do "Novo Testamento"; quase me perturba o fato de estar tão isolado no meu gosto no que diz respeito a este valor, esta Escritura sobrevalorizada; o gosto de dois mil anos é contra mim; quase me pertuba! "Aqui estou eu! Não consigo evitar" — tenho a coragem do meu mau gosto. O Antigo Testamento — sim, isso é algo bastante diferente, tudo honra o Antigo Testamento! Nele encontro grandes homens, uma paisagem heroica, e um dos fenômenos mais raros do mundo, a incomparável ingenuidade do coração forte; mais ainda, encontro um povo. No Novo, pelo contrário, apenas um albergue de pequenas seitas, puro rococó da alma, ângulos tortuosos e toques extravagantes, nada mais do que ar de convulsões, para não esquecer um cheiro ocasional de doçura bucólica que pertence à época (e à província romana) e é menos judeu do que helenístico. Mansidão e arrogância face por face; uma garra emocional que quase ensurdece; histeria apaixonada, mas sem paixão; pantomima dolorosa; aqui manifestamente faltava a cada um uma boa criação. Como ousar alguém fazer tanto alarido sobre os seus pequenos fracassos como estes pequenos piedosos companheiros! Ninguém se preocupa com isso — só Deus. Finalmente, eles realmente desejam ter "a coroa da vida eterna", fazer todos estes pequenos provincianos! Em troca de quê, com tranquilidade? Para que fim? É impossível levar mais longe a insolência. Um Pedro imortal! que poderia suportá-lo! Têm uma ambição que nos faz rir: a coisa que não cessa de esmiuçar a sua vida mais pessoal, as suas melancolias, e os seus problemas comuns, como se o próprio Universo tivesse a obrigação de se preocupar com eles, pois nunca se cansa de envolver o próprio Deus na miséria mesquinha em que os seus problemas estão envolvidos. E quanto à forma atroz desta intimidade crônica com Deus? Este judaico, e não apenas judeu, desmazelado e apegado a Deus! — Existem poucas "nações pagãs" desprezadas na Ásia Oriental, das quais estes primeiros cristãos poderiam ter aprendido algo que valesse a pena aprender, um pouco de tato na adoração; estas nações não se permitem dizer em voz alta o nome do seu Deus. Isto parece-me suficientemente delicado, é certo que é demasiado delicado, e não apenas para os cristãos primitivos; para contrastar, basta recordar Lutero, o camponês mais "eloquente" e insolente que a Alemanha teve, pensar no tom lutheriano, no qual se sentiu mais no seu elemento durante o seu *tête-à-têtes* com Deus. A oposição de Lutero aos santos medievais da Igreja (em particular, contra "aquele porco do diabo, o Papa"), foi, sem dúvida, no fundo, a oposição de um camponês, que se ofendeu com a boa etiqueta da Igreja, aquela etiqueta de culto do código sacerdotal, que apenas admite ao santo dos santos os iniciados e os silenciosos, e fecha a porta contra os camponeses. Definitivamente, estes não deviam ser ouvidos neste planeta — mas Lutero, o camponês, simplesmente desejava-o de outra forma; como era, não era alemão o suficiente para ele. Ele desejava pessoalmente falar diretamente, falar pessoalmente, falar "diretamente do ombro" com o seu Deus. Bem, ele fê-lo. O ideal ascético, adivinha-se, não foi em momento algum e em lugar algum, uma escola de bom gosto, ainda menos de boas maneiras — no melhor dos casos era uma escola de boas maneiras sacerdotais: isto é, contém em si mesmo algo que era um inimigo mortal de todas as boas maneiras. Falta de medida, oposição à medida, ela própria é uma "*non plus ultra*".

23.

O ideal ascético corrompeu não só a saúde e o paladar, há também a terceira, quarta, quinta, e sexta coisas que corrompeu — terei o cuidado de não passar pelo catálogo (quando devo chegar ao fim?). Tenho aqui para expor não o que este ideal realizou; mas sim apenas o que ele significa, no que se baseia, o que se esconde por trás e por baixo dele, o que é a expressão provisória, uma expressão obscura e repleta de dúvidas e mal-entendidos. E com este objeto apenas em vista, presumi "não poupar" aos meus leitores um olhar sobre a horror dos seus resultados, um olhar sobre os seus resultados fatais; fiz isto para os preparar para o aspecto final e mais horrendo que me foi apresentado pela questão do significado desse ideal. Qual é o significado do poder desse ideal, a monstruosidade do seu poder? Porque é que lhe é dado um tal alcance? Porque não lhe é oferecida uma melhor resistência contra ele? O ideal ascético expressa uma vontade: onde está a vontade da oposição, na qual um ideal de oposição se expressa? O ideal ascético tem um objetivo — este objetivo é, em termos gerais, que todos os outros interesses da vida humana devem, medidos pelo seu padrão, parecer mesquinhos e estreitos; explica épocas, nações, homens, em referência a este único fim; proíbe qualquer outra interpretação, qualquer outro fim; repudia, nega, afirma, confirma, apenas no sentido da sua própria interpretação (e existiu sempre um sistema de interpretação mais elaborado?); não se sujeita a nenhum poder, antes acredita na sua própria precedência sobre qualquer poder — acredita que nada de poderoso existe no mundo que não tenha primeiro recebido dele um significado, um direito à existência, um valor, como sendo um instrumento no seu trabalho, uma forma e um meio para o seu fim, para um fim. Onde está a contrapartida deste sistema completo de vontade, fim, e interpretação? Porque é que falta a contrapartida? Onde está o outro "um objetivo"? Mas dizem-me que não lhe falta, que não só travou uma longa e afortunada luta com esse ideal, mas que, além disso, já ganhou o domínio sobre esse ideal em todos os aspectos essenciais: que toda a nossa ciência moderna ateste isto — que a ciência moderna, que, tal como a genuína realidade-filosofia que é, acredita manifestamente só em si mesma, tem manifestamente a coragem de ser ela própria, a vontade de ser ela própria, e que se deu bem sem Deus, outro mundo, e virtudes negativas.

No entanto, com toda a sua ruidosa agitação, eles não me fazem nada; estes trombeteiros da realidade são maus músicos, as suas vozes não vêm das profundezas com audibilidade suficiente, não são o porta-voz do abismo do conhecimento científico — pois o conhecimento científico de hoje é um abismo — a palavra "ciência", em tais bocas aos trombeteiros, é uma prostituição, um abuso, uma impertinência. A verdade é exatamente o oposto do que se mantém na teoria ascética. A ciência não tem hoje absolutamente nenhuma crença em si mesma, quanto mais numa ideal superior a si mesmo, e onde quer que a ciência ainda consista em paixão, amor, ardor, sofrimento, não é a oposição a esse ideal ascético, mas sim a encarnação da sua mais recente e nobre forma. Será que isso soa estranho? Há suficientes trabalhadores corajosos e decentes, mesmo entre os homens cultos do dia, que gostam do seu cantinho, e que, só porque têm prazer em fazê-lo, se tornam por vezes indecentemente barulhentos com a sua exigência, que as pessoas do dia deveriam estar bastante satisfeitas, especialmente na ciência — pois na ciência há tanto trabalho útil a fazer. Não o nego — não há nada que eu gostasse menos do que estragar o deleite destes trabalhadores honestos no seu trabalho manual; pois regozijo-me com o seu trabalho. Mas o fato de a ciência exigir trabalho árduo, o fato de ter trabalhadores satisfeitos, não é absolutamente nenhuma prova de que a ciência como um todo tenha hoje um fim, uma vontade, um ideal, uma paixão por uma grande fé; o contrário, como já disse, é o caso. Quando a ciência não é a última manifestação do ideal ascético — mas estes são casos de tal raridade, seletividade e requinte, que impedem que o juízo geral seja afetado — a ciência é um esconderijo para todo o tipo de cobardia, descrença, remorso, desprezo, má consciência — é a própria ansiedade que nasce da ausência de um ideal, o sofrimento da falta de um grande amor, o descontentamento com uma moderação forçada. Oh, o que é que toda a ciência não cobre hoje em dia? Em todo o caso, quanto é que ela não tenta cobrir? A diligência dos nossos melhores estudiosos, a sua indústria sem sentido, a queima da vela do seu cérebro em ambas as extremidades — o seu próprio domínio no seu trabalho manual — quantas vezes é o verdadeiro significado de tudo isso para se impedir de continuar a ver uma determinada coisa? A ciência como uma auto-anestésica: sabe isso? Fere-os — qualquer pessoa que se consolide com estudiosos experimenta isto — fere-os por vezes até ao rápido através de apenas uma palavra inofensiva; quando pensamos que lhes estamos a fazer um elogio, amargamo-los para além de todos os limites, simplesmente porque não tivemos a delicadeza de inferir o verdadeiro tipo de clientes que tínhamos de enfrentar, os que sofrem (que não serão donos nem sequer de si próprios do que realmente são), os atordoados e inconscientes que têm apenas um único medo — o de se tornarem conscientes.

24.

E agora olhem para o outro lado, para aqueles raros casos, dos quais falei, os mais supremos idealistas que se encontram hoje em dia entre filósofos e estudiosos. Teremos nós, por acaso, encontrado neles os opositores procurados do ideal ascético, os seus antidealistas? De fato, eles acreditam ser tais, esses "incrédulos" (pois são todos eles que são): parece que esta ideia é o seu último remanescente de fé, a ideia de serem opositores deste ideal, tão sérios são eles sobre este assunto, tão apaixonados em palavras e gestos; — mas será que se segue que o que eles acreditam deve necessariamente ser verdade?

Nós "conhecedores" temos vindo a desconfiar gradualmente de todos os tipos de crentes, a nossa suspeita habituou-nos, passo a passo, a tirar conclusões exatamente opostas às que as pessoas têm tirado antes; ou seja, sempre que a força de uma crença é particularmente proeminente para tirar a conclusão da dificuldade de provar o que se acredita, a conclusão da sua real improbabilidade. Não negamos de novo que "a fé produz a salvação": por essa mesma razão negamos que a fé prova qualquer coisa, — uma fé forte, que produz a felicidade, levanta suspeitas sobre o objecto dessa fé, não estabelece a sua "verdade", estabelece uma certa probabilidade de ilusão. Qual é agora a posição nestes casos? Estes solitários e negacionistas de hoje; estes fanáticos numa coisa, na sua reivindicação de limpeza intelectual; estes espíritos duros, severos, continentais, heroicos, que constituem a glória do nosso tempo; todos estes ateus pálidos, anticristãos, imorais, niilistas; estes céticos, "eféticos" e "agitados" do intelecto (num certo sentido são estes últimos, tanto coletiva como individualmente); estes idealistas supremos do conhecimento, em quem só a consciência intelectual habita e está viva hoje em dia — de fato, eles acreditam estar o mais longe possível do ideal ascético, fazem estes "espíritos livres, muito livres": e no entanto, se me permitem revelar o que eles próprios não conseguem ver — pois estão demasiado próximos de si próprios: este ideal é simplesmente o seu ideal, representam-no hoje em dia e talvez mais ninguém, eles próprios são o seu produto mais espiritualizado, o seu piquete mais avançado de escaramuças e batedores, a sua forma mais insidiosa, delicada e elusiva de sedução. — Se eu sou de alguma forma um leitor de enigmas, então serei um com esta frase: já há algum tempo que não há espíritos livres; pois eles ainda acreditam na verdade. Quando os Cruzados Cristãos no Oriente entraram em colisão com aquela ordem invencível de assassinos, aquela ordem de espíritos livres por excelência, cujo grau mais baixo vive num estado de disciplina como nenhuma ordem de monges alguma vez atingiu, então, de uma forma ou

de outra, conseguiram de alguma forma ter uma ideia daquele símbolo e daquela palavra, que estava reservada apenas para o grau mais alto como o seu segredo, "Nada é verdade, tudo é permitido", — em pleno, que era a liberdade de pensamento, assim, estava a tirar partido da própria crença na verdade. Será que algum europeu, algum cristão livre-pensador, alguma vez se envolveu nesta proposta e nas suas consequências labirínticas? Será que ele sabe por experiência os Minotauros desta caverna.
— Duvido que sim, mas sei o contrário. Nada é mais estranho a estes "monofanáticos", a estes tão chamados "espíritos livres", do que a liberdade e o descontrolo nesse sentido; em nenhum aspecto estão mais estreitamente ligados, o fanatismo absoluto da sua crença na verdade é inigualável. Sei tudo isto, talvez demasiado por experiência própria — aquela abstinência filosófica digna a que uma crença como esta vincula os seus adeptos, aquele estoicismo do intelecto, que acaba por vetar tão rigidamente a negação como a afirmação, aquele desejo de ficar parado diante do real, o factum brutum, esse fatalismo nos *"petits faits"* (*ce petit faitalism*, como lhe chamo), em que a ciência francesa tenta agora uma espécie de superioridade moral sobre a alemã, esta renúncia de interpretação em geral (ou seja, de forçar, de retocar, de omitir, de suprimir, de inventar, de falsificar, e todos os outros atributos essenciais de interpretação) — tudo isto, considerado de forma ampla, exprime o ascetismo da virtude, de forma tão eficiente como qualquer repúdio dos sentidos (no fundo é apenas um *modus operandi* desse repúdio.) Mas o que a força a essa vontade inqualificável de verdade é a fé no próprio ideal ascético, ainda que ela tome a forma dos seus imperativos inconscientes, — não se engane, é a fé, repito, num valor metafísico, um valor intrínseco da verdade, de um caráter que só se justifica e se garante neste ideal (ele mantém-se e cai com esse ideal). A julgar estritamente, não existe uma ciência sem as suas "hipóteses", o pensamento de tal ciência é inconcebível, ilógico: uma filosofia, uma fé, deve existir sempre em primeiro lugar para permitir à ciência ganhar assim uma direção,

um significado, um limite e um método, um direito à existência. (Aquele que tem uma opinião contrária sobre o assunto — ele, por exemplo, que se encarrega de estabelecer a filosofia "sobre uma base estritamente científica" — tem primeiro de "virar de cabeça para baixo" não só a filosofia mas também a própria verdade — o mais grave insulto que poderia ser oferecido a duas fêmeas tão respeitáveis!) Sim, não há dúvida — e aqui cito a minha Joyful Wisdom, cp. Livro V. Aph. 344: "O homem que é verdadeiro nessa forma ousada e extrema, que é o pressuposto da fé na ciência, afirma assim um mundo diferente do da vida, natureza e história; e na medida em que afirma a existência desse mundo diferente, vem, não deverá repudiar de forma semelhante a sua contraparte, este mundo, o nosso mundo? A crença em que se baseia a nossa fé na ciência permaneceu até hoje uma crença metafísica — mesmo nós, os que conhecemos hoje, nós, inimigos sem Deus da metafísica, também tiramos o nosso fogo dessa conflagração que foi acendida por uma fé milenar, dessa crença cristã, que era também a crença de Platão, a crença de que Deus é a verdade, que a verdade é divina... Mas e se esta crença se tornar cada vez mais incrível, e se nada provar ser divino, a menos que seja erro, cegueira, mentira — e se Deus, Ele próprio provou ser a nossa mentira mais antiga?" — É necessário parar neste ponto e considerar cuidadosamente a situação. A própria ciência precisa agora de uma justificação (que não é por um minuto para dizer que existe tal justificação). Vire-se neste contexto para os filósofos mais antigos e mais modernos: todos eles falham em compreender a extensão da necessidade de uma justificação por parte da Vontade de Verdade — aqui está uma lacuna em toda a filosofia — por que é que ela é causada? Porque até hoje o ideal ascético dominava toda a filosofia, porque a Verdade era fixada como Ser, como Deus, como o Supremo Tribunal de Recurso, porque a Verdade não podia ser um problema. Compreende este "permitido"? A partir do momento em que a crença no Deus do ideal ascético é repudiada, existe um novo problema: o problema do valor da Verdade. A Vontade de Verdade precisava de uma crítica — deixe-nos definir por estas palavras a nossa própria tarefa — o valor da verdade é provisoriamente posto em causa (Se isto parecer demasiado laconicamente expresso, recomendo ao leitor que leia novamente essa passagem da Sabedoria Alegre que leva o título, "Até onde também estamos ainda piedoso," Aph. 344, e o melhor de todo o quinto livro dessa obra, bem como o Prefácio de O Amanhecer do Dia).

25.

Não! Não se pode contornar-me com ciência, quando procuro os antagonistas naturais do ideal ascético, quando coloco a questão: "Onde está a vontade oposta na qual o ideal adversário se expressa?" A ciência não é, de longe, suficientemente independente para cumprir esta função; em todos os departamentos a ciência precisa de um valor ideal, um poder que cria valores, e em cujo serviço pode acreditar em si mesma — a própria ciência nunca cria valores. A sua relação com o ideal ascético não é, por si só, antagônica; falando de forma aproximada, representa antes a força progressista na evolução interior desse ideal. Testado mais exatamente, a sua oposição e antagonismo não estão preocupados com o ideal em si, mas apenas com o seu exterior, o seu vestuário exterior, a sua mascarada, com o seu endurecimento temporário, endurecimento, e dogmatismo — torna a vida no ideal livre mais uma vez, enquanto repudia os seus elementos superficiais. Estes dois fenômenos, a ciência e o ideal ascético, ambos repousam na mesma base — já o deixei claro — a base, digo eu, da mesma sobrevalorização da verdade (mais precisamente a mesma crença na impossibilidade de valorizar e criticar a verdade), e consequentemente são necessariamente aliados, de modo que, no caso de serem atacados, devem ser sempre atacados e postos em causa em conjunto. Uma valorização do ideal ascético implica inevitavelmente uma valorização da ciência também; não perca tempo em ver isto claramente, e seja afiado para o apanhar! (Arte, estou a falar provisoriamente, pois vou tratá-la noutra ocasião com mais detalhe, -arte, repito, em que a mentira é santificada e a vontade de enganar tem a boa consciência do seu lado, é muito mais fundamentalmente oposta ao ideal ascético do que a ciência: O instinto de Platão sentiu isto — Platão, o maior inimigo da arte que a Europa produziu até ao presente. Platão contra Homero, ou seja, o completo, o verdadeiro antagonismo — de um lado, o "transcendente", o grande difamador da vida; do outro, o seu panegírico involuntário, a natureza dourada. Uma subserviência artística ao serviço do ideal ascético é consequentemente a corrupção artística mais absoluta que pode existir, embora infelizmente seja uma das fases mais frequentes, pois nada é mais corruptível do que um artista). Considerada fisiologicamente, além disso, a ciência assenta na mesma base que o ideal ascético: um certo empobrecimento da vida é o pressuposto do último como do primeiro, frigidez das emoções, afrouxamento do tempo, substituição da dialética pelo instinto, seriedade impressa no rosto e no gesto (seriedade, esse sinal mais inconfundível de metabolismo extenuante, de luta, de vida laboriosa). Consideremos os períodos numa nação em que o homem erudito ganha proeminência; são os períodos de exaustão, muitas vezes de ocaso, de decadência — a força efervescente, a confiança na vida, a confiança no futuro já não existem. A preponderância dos mandarins nunca significa qualquer bem, assim como o advento da democracia, ou da arbitragem em vez da guerra, a igualdade de direitos para as mulheres, a religião da piedade, e todos os outros sintomas do declínio da vida. (A ciência tratada como um problema! qual é o significado da ciência? — sobre este ponto o Prefácio do Nascimento da Tragédia). Não! esta "ciência moderna" — marcar-lhe este bem é por vezes o melhor aliado para o ideal ascético, e pela mesma razão que é o aliado mais inconsciente, mais automático, mais secreto, e mais subterrâneo! Têm jogado até hoje nas mãos uns dos outros, têm estes "pobres de espírito" e os opositores científicos desse ideal (cuidado, pelo adeus, para não pensar que estes opositores são a antítese deste ideal, que são os ricos de espírito — que não são; chamei-lhes o agitado de espírito). Quanto a estas célebres vitórias da ciência; não há dúvida de que são vitórias — mas vitórias sobre o quê? Não houve por um único minuto qualquer vitória entre a sua lista sobre o ideal ascético, mas sim foi reforçada, ou seja, mais elusiva, mais abs-trata, mais insidiosa, pelo fato de que um muro, uma fachada, que se tinha construído sobre a fortaleza principal e desfigurado o seu aspecto, deveria de tempos a tempos ser impiedosamente destruído e destruído pela ciência. Alguém sugere seriamente que a queda da astronomia teológica significou a queda desse ideal? — Por acaso, o homem cresceu menos na necessidade de uma solução transcendental do seu enigma de existência, porque desde então essa existência tornou-se mais aleatória, casual e supérflua na ordem visível do universo? Não terá havido desde o tempo de Copérnico um progresso ininterrupto no autobronzeamento do homem e na sua vontade de se depreciar a si próprio? Infelizmente, a sua crença na sua dignidade, a sua singularidade insubstituível no esquema da existência, foi-se — ele tornou-se animal, literalmente, inqualificável, e animal incondicional, aquele que na sua crença anterior era quase Deus ("filho de Deus", "homem-Deus"). Desde Copérnico, o homem parece ter caído num plano íngreme — ele rola cada vez mais depressa para longe do centro — para o nada — para a "sensação emocionante do seu próprio nada" — Bem! este seria o caminho direto para o velho ideal? — Toda a ciência (e de forma alguma apenas astronomia, no que diz respeito ao efeito humilhante e deteriorante de que Kant fez uma confissão notável, "aniquila a minha própria importância"), toda a ciência, tanto natural como antinatural por antinatural refiro-me à autocrítica da razão — hoje em dia, pretende dissuadir o homem da sua opinião atual sobre si próprio, como se essa opinião não tivesse sido mais do que um bizarro pedaço de presunção; pode ir ao ponto de dizer que a ciência encontra o seu orgulho peculiar, a sua peculiar forma amarga de ataráxica estoica, na preservação do desprezo do homem por si próprio, aquele estado que tanto se deu ao trabalho de provocar, como a reivindicação final e mais séria do homem de autoapreciação (com razão, de fato, pois quem despreza é sempre "aquele que não se esqueceu de como apreciar"). Mas será que tudo isto envolve algum esforço real para contrariar o ideal ascético? Será realmente sugerido seriamente que a vitória de Kant sobre o dogmatismo teológico sobre "Deus", "Alma", "Liberdade", "Imortalidade", prejudicou esse ideal de qualquer forma (como os teólogos imaginaram durante muito tempo)? — E a este respeito não nos diz respeito por um único minuto, se o próprio Kant pretendia tal consumação. É certo que desde o tempo de Kant todo o tipo de transcendentalista está a jogar um jogo vencedor — eles são emancipados dos teólogos; que sorte! — ele revelou-lhes essa arte secreta, pela qual podem agora prosseguir o seu "desejo do coração" sob a sua própria responsabilidade, e com toda a respeitabilidade da ciência. Do mesmo modo, quem pode resmungar com os agnósticos, reverenciadores, como eles são, do desconhecido e do mistério absoluto, se agora adoram a sua própria pergunta como Deus? (Xaver Doudan fala algures da devastação que o hábito de admirar l'inintelligible au lieu de rester tout simplement dans l'inconnu produziu — os antigos, pensa ele, devem ter sido isentos dessas devastações). Supondo que tudo, "conhecido" pelo homem, não satisfaz os seus desejos e, pelo contrário, os contradiz e os horroriza, que saída divina de tudo isto para poder procurar a responsabilidade, não no "desejo" mas no "saber"! — "Não há conhecimento. Consequentemente, existe um Deus"; que novela *elegantia silogismi*! que triunfo para o ideal ascético!

26.

Ou, por acaso, será que toda a história moderna mostra no seu comportamento uma maior confiança na vida, uma maior confiança nos seus ideais? A sua mais alta pretensão é agora ser um espelho; repudia toda a teleologia; não terá mais "provas"; desdenha de fazer de juiz, e assim mostra o seu bom gosto — afirma tão pouco quanto nega, fixa, "descreve". Tudo isto é em alto grau ascético, mas ao mesmo tempo é em muito maior grau niilista; não se iludam com isto! Vê-se no historiador um olhar sombrio, duro, mas determinado, — um olho que olha para fora como um explorador isolado do Polo Norte olha para fora (talvez para não olhar para dentro, para não olhar para trás?) — aqui está a neve — em nenhum lugar a vida é silenciada, os últimos corvos que aqui grasnam são chamados "para onde? "Vaidade", "Nada" — não há mais nada que floresça e cresça, no máximo a metapolítica de São Petersburgo e a "piedade" de Tolstoi. Mas quanto àquela outra escola de historiadores, uma escola talvez ainda mais "moderna", uma escola voluptuosa e lasciva, que opõe a vida e o ideal ascético com igual fervor, que usa a palavra "artista" como luva, e que hoje em dia estabeleceu um "canto" para si própria, em todos os elogios dados à contemplação; oh, que sede estes doces intelectuais excitam até mesmo para os ascetas e as paisagens de Inverno! Não! O diabo toma estas pessoas "contemplativas"! Quanta lenda eu vaguearia com esses niilistas históricos através da mais sombria, cinzenta e fria névoa! — não me importaria de ouvir (supondo que tenho de escolher) alguém que é completamente sem história e anti-histórico (um homem, como Dühring, por exemplo, durante cujos períodos uma espécie até agora tímida e não confessada de "almas bonitas" cresceu intoxicada na Alemanha contemporânea, a espécie anar-quista dentro da proletariado educado). Os "contemplativos" são cem vezes piores — nunca conheci nada que produzisse uma náusea tão intensa como uma daquelas cadeiras "objetivas", uma daquelas manniquetes perfumadas da história, uma coisa meio sacerdote, meio-sátiro (*parfum* Renan), que trai pelo aplauso alto e estridente do seu aplauso o que lhe falta e onde lhe falta, que trai onde, neste caso, o Destino alinhavou a sua tesoura horripilante, infelizmente! de uma forma demasiado cirúrgica! Isto é desagradável para mim, e irrita a minha paciência; deixem-no manter paciente a tais vistas que não tem nada a perder com isso, — tal visão enfurece-me, tais espectadores amarguram-me contra a "peça", ainda mais do que a própria peça (a história em si, entendem); humores anacrônicos imperceptivelmente passam por cima de mim. Esta Natureza, que deu ao boi o seu chifre, ao leão o seu χάσμ' δοντων, com que finalidade é que a Natureza me deu o meu pé? Para pisar, por São Anacreão, e não apenas para fugir! Para pisar todas as "cadeiras" comidas por vermes, os contempladores cobardes, os eunucos lascivos da história, os flertores com ideais ascéticos, os justos hipócritas da impotência! Toda a reverência da minha parte ao ideal ascético, na medida em que é honroso! Desde que acredite em si mesmo e não nos pregue partidas! Mas não gosto de todos estes insetos coquetistas que têm uma ambição insaciável de cheirar o infinito, até eventualmente o cheiro infinito de insetos; não gosto dos sepulcros esbranquiçados com a sua reprodução cénica da vida; não gosto dos cansados e desgastados que se envolvem em sabedoria e parecem "objetivos"; Não gosto dos agitadores vestidos de heróis, que escondem as suas cabeças de bonecos atrás do cavalo perseguidor de um ideal; não gosto dos artistas ambiciosos que desmaiam a tocar o asceta e o padre, e que no fundo não passam de palhaços trágicos; Não gosto, mais uma vez, destes especuladores mais recentes do idealismo, os Antissemitas, que hoje em dia rolam os seus olhos na moda patente cristã-ariana, e por um abuso de atitudes moralistas e esquivas de agitação, tão baratos que esgotam qualquer paciência, esforçam-se por excitar todos os elementos cabeça-dura na população (o sucesso invariável de todo o tipo de charlatanismo intelectual na Alemanha de hoje em dia, está aliado à desolação quase indiscutível e já bastante palpável da mente alemã, cuja causa procuro numa dieta demasiado exclusiva, de jornais, política, cerveja e música wagneriana, sem esquecer a condição precedente desta dieta, a exclusividade e vaidade nacional, o princípio forte mas estreito, "Alemanha, Alemanha acima de tudo", e finalmente os agitanos de paralisia das "ideias modernas"). Atualmente, a Europa é, acima de tudo, rica e engenhosa em meios de excitação; aparentemente não tem mais necessidade chorosa do que a estimulação e o álcool. Daí a enorme contrafação de ideais, aqueles espíritos mais ardentes da mente; daí também o ar repulsivo, mal cheiroso, perjúrio, pseudoálcool por todo o lado. Gostaria de saber quantas cargas de idealismo de imitação, de hero-costumes e de aplausos de falsificação, quantos barris de licor de piedade adocicado (*Firm: la religion de la souffrance*), quantas muletas de justa indignação pela ajuda destes pés chatos intelectuais, quantos comediantes do ideal moral cristão precisariam de... dia para serem exportados da Europa, para permitir que o seu ar voltasse a ter um cheiro puro. É óbvio que, em relação a esta superprodução, uma nova possibilidade comercial está aberta; é óbvio que há um novo negócio a ser feito em pequenos ídolos ideais e obedientes "idealistas" — não passe por cima desta dica! Quem tem coragem suficiente? Temos nas nossas mãos a possibilidade de idealizar a terra inteira. Mas de que estou a falar de coragem? só precisamos de uma coisa aqui — uma mão livre, uma mão muito livre.

27.

Basta! basta! deixemos estas curiosidades e complexidades do espírito moderno, que excitam tanto o riso como a repugnância. O nosso problema pode certamente passar sem elas, o problema do significado do ideal ascético — o que tem a ver com ontem ou hoje? essas coisas devem ser tratadas por mim de forma mais profunda e severa noutra ligação (sob o título "Uma Contribuição para a História do Niilismo Europeu", refiro-me para isto a um trabalho que estou a preparar: A Vontade ao Poder, uma Tentativa de Transvalorização de Todos os Valores). A única razão pela qual venho aqui aludir a isto é a seguinte: o ideal ascético tem por vezes, mesmo na esfera mais intelectual, apenas um verdadeiro tipo de inimigos e amortecedores: estes são os comediantes deste ideal — pois despertam a desconfiança. Em qualquer outro lugar, onde a mente está a trabalhar com seriedade, poderosamente, e sem falsificações, dispensa agora por completo um ideal (a expressão popular para esta abstinência é "Ateísmo") — com a exceção da vontade de verdade. Mas esta vontade, este remanescente de um ideal, é, se acreditarem em mim, esse ideal em si na sua formulação mais severa e inteligente, esotérica através e através, despojada de todas as obras, e consequentemente não tanto o seu remanescente como o seu núcleo. O ateísmo honesto sem reservas (e o seu ar apenas respiramos, nós, os homens mais intelectuais desta época) não se opõe a esse ideal, na medida em que parece ser; é antes uma das fases finais da sua evolução, um dos seus silogismos e pedaços de lógica inerente — é a catástrofe inspiradora de um treino de dois mil anos de verdade, que finalmente proíbe a si próprio a mentira da crença em Deus. (O mesmo curso de desenvolvimento na Índia — independentemente, e consequentemente de algum valor demonstrativo — o mesmo ideal de condução para a mesma conclusão o ponto decisivo alcançado quinhentos anos antes da era europeia, ou mais precisamente na época de Buda — começou na filosofia Sankhyam, e depois foi popularizado através de Buda, e transformado numa religião).

    O que é que, coloquei a questão com todo o rigor, triunfou realmente sobre o Deus cristão? A resposta está na minha Joyful Wisdom, Aph. 357: "a própria moralidade cristã, a ideia de verdade, tomada como era com crescente seriedade, o confessor-substituto da consciência cristã traduzida e sublimada na consciência científica em limpeza intelectual a qualquer preço. Quanto à Natureza como se fosse uma prova da bondade e da tutela de Deus; interpretando a história em honra de uma razão divina, como uma prova constante de uma ordem moral do mundo e de uma teleologia moral, explicando as nossas próprias experiências pessoais, como os homens piedosos as explicaram durante tempo suficiente, como se cada arranjo, cada aceno, cada coisa fosse inventada e enviada por amor à salvação da alma; tudo isto é agora eliminado, tudo isto tem a consciência contra ela, e é considerado por toda a consciência mais sutil como desonroso, como mentiroso, feminista, fraco, covarde — por meio desta severidade, se é que por meio de alguma coisa, somos nós, em acalmar, bons europeus e herdeiros do mais longo e mais corajoso autodomínio da Europa. "... Todas as grandes coisas vão à ruína por causa de si mesmas, por causa de um ato de autodissolução: assim quer a lei da vida, a lei do necessário "domínio de si", mesmo na essência da vida — sempre que o doador da lei esteja finalmente exposto ao grito, *"patere legem quam ipse tulisti"*; assim, com sabedoria, o cristianismo foi à ruína como um dogma, através da sua própria moralidade; assim, com sabedoria, o cristianismo deve ir de novo à ruína como uma moral — estamos no limiar deste acontecimento. Depois de a veracidade cristã ter tirado uma conclusão atrás da outra, finalmente tira a sua conclusão mais forte, a sua conclusão contra si mesma; isto, porém, acontece, quando coloca a questão, "qual é o significado de toda a vontade de verdade"? E aqui toco novamente no meu problema, no nosso problema, nos meus amigos desconhecidos (pois ain-da não conheço nenhum amigo): que sentido tem todo o nosso ser, se isso não significa que em nós mesmos essa vontade de verdade tenha chegado à sua própria consciência como um problema? — Por causa desta conquista da autoconsciência por parte da vontade de verdade, a moralidade a partir de agora — não há dúvida de que ela se vai desfazendo: esta é aquela peça de cem atos que está reservada para os próximos dois séculos da Europa, a mais terrível, a mais misteriosa, e talvez também a mais esperançosa de todas as peças.

28.

Se exceto o ideal ascético, o homem, o homem animal não tinha qualquer significado. A sua existência na terra não tinha fim; "Qual é a finalidade do homem" era uma pergunta sem resposta; faltava a vontade do homem e do mundo; por detrás de cada grande destino humano, ressoava como um refrão uma "vaidade" ainda maior! O ideal ascético significa simplesmente o seguinte: que faltava algo, que um tremendo vazio circundava o homem — ele não sabia como se justificar, como se explicar, como se afirmar, ele sofria do problema do seu próprio significado. Sofria também de outras formas, era no essencial um animal doente; mas o seu problema não era o sofrimento em si mesmo, mas a falta de uma resposta a essa gritante pergunta: "Com que objetivo sofremos? O homem, o animal mais corajoso e o mais sedento de sofrimento, não repudia o sofrimento em si mesmo: deseja-o, até o procura, desde que lhe seja mostrado um significado para ele, um propósito de sofrimento. Não o sofrimento, mas a insensatez do sofrimento foi a maldição que até então se espalhou sobre a humanidade — e o ideal ascético deu-lhe um significado! É, era até então o único significado; mas qualquer significado é melhor do que nenhum significado; o ideal ascético era nesse sentido a *"faute de mieux"* por excelência que existia na altura. Nesse ideal o sofrimento encontrou uma explicação; a tremenda lacuna parecia preenchida; a porta para todo o niilismo suicida estava fechada. A explicação — não há dúvida — trouxe no seu comboio um novo sofrimento, mais profundo, mais penetrante, mais venenoso, roendo mais brutalmente a vida: trouxe todo o sofrimento sob a perspectiva da culpa; mas apesar de todo aquele homem ter sido salvo desta forma, ele tinha um significado, e de agora em diante já não era mais como uma folha ao vento, um galo do acaso, de disparates, ele podia agora "querer" algo — absolutamente imaterial para que fim, para que propósito, com que meios desejava: a própria vontade foi salva. É absolutamente impossível disfarçar o que de fato é tornado claro por toda a vontade completa que tomou a sua direção do ideal ascético: este ódio do humano, e ainda mais do animal, e ainda mais do material, este horror dos sentidos, da própria razão, este medo da felicidade e da beleza, este desejo de se afastar imediatamente de toda a ilusão, mudança, crescimento, morte, desejo e mesmo desejo -tudo isto significa — que tenhamos a coragem de a compreender — uma vontade de Nada, uma vontade oposta à vida, um repúdio pelas condições mais fundamentais da vida, mas é e continua a ser uma vontade! — e dizer no final aquilo que eu disse no início — o homem desejará *querer o nada a na querer.*